·滇版精品出版工程专项资金资助项目·

中国珍稀濒危植物种子
SEEDS
OF
RARE AND ENDANGERED PLANTS
IN CHINA

·第二卷·
VOLUME 2

杜 燕 主编

云南出版集团
云南科技出版社
·昆明·

图书在版编目（CIP）数据

中国珍稀濒危植物种子.第二卷/杜燕主编.——昆明：云南科技出版社，2022
ISBN 978-7-5587-4122-7

Ⅰ.①中… Ⅱ.①杜… Ⅲ.①珍稀植物—濒危植物—种子—研究—中国 Ⅳ.①Q944.59

中国版本图书馆CIP数据核字(2022)第212685号

中国珍稀濒危植物种子（第二卷）
ZHONGGUO ZHENXI BINWEI ZHIWU ZHONGZI (DI-ER JUAN)

杜　燕　主编

出 版 人：温　翔
项目统筹：温　翔　高　亢
策　　划：马　莹　邓玉婷
责任编辑：马　莹　叶佳林　杨志芳　黄文元　代荣恒
整体设计：长策文化
责任校对：秦永红　张舒园
责任印制：蒋丽芬

书　　号：ISBN 978-7-5587-4122-7
印　　刷：昆明美林彩印包装有限公司
开　　本：889mm×1194mm　1/16
印　　张：33.25
字　　数：420千字
版　　次：2022年12月第1版
印　　次：2022年12月第1次印刷
定　　价：468.00元

出版发行：云南出版集团　云南科技出版社
地　　址：昆明市环城西路609号
电　　话：0871-64192372

版权所有　侵权必究

编委会

主　编：杜　燕

副主编：李涟漪　李　慧　杨湘云

编写人员（按姓氏拼音排序）：

蔡　杰　杜　燕　郭永杰　郭云刚　何华杰　金效华　李　慧
李涟漪　刘　博　刘　成　秦少发　亚吉东　杨　娟　杨湘云
张　挺　张潇尹　张志峰

摄　影：李涟漪　李　慧

内容简介
—— INTRODUCTION ——

《中国珍稀濒危植物种子》以2021年8月7日国务院批准的《国家重点保护野生植物名录》为依据，着重介绍了我国56科160种具有代表性的珍稀濒危植物种子的相关信息。其中，裸子植物6科29种，被子植物50科131种；一级保护植物30种，二级保护植物130种。全书共分两卷出版，第一卷包括裸子植物、被子植物基部类群的木兰类分支和单子叶植物分支的18科98种，第二卷包括真双子叶植物的基部分支、蔷薇类分支和超菊类分支的38科62种。在内容方面，除了重点描述这些物种果实和种子的外部形态和内部结构，还介绍了花果期、传播体类型及传播方式、种子的贮藏特性和萌发特性，同时提供了物种生活型、分布、经济价值和科研价值、濒危原因等信息。在图片方面，共配以2000多张照片来进行展示和说明，照片内容涉及植株、花、果序、果实、种子、胚和幼苗等，类型包括光学照片、光学显微照片、X光照片和电镜照片四种。书中所含信息较新，大部分为首次公开发表，兼具学术价值和实用价值。在排版方面，图文并茂，独特美观。

这是两卷帮助人们快捷、准确识别和了解我国珍稀濒危植物，尤其是其果实和种子的参考志书，对我国珍稀濒危植物的管理、保护和利用具有重要价值。不仅适用于种子形态学和生理学研究人员、资源保护人员和管理者、检验检疫部门和海关工作人员、林业执法和司法人员，对摄影爱好者和自然爱好者也具有重要参考价值。

序 言
—— FORWORD ——

  珍稀濒危植物是一类现存数量稀少，却在经济、科学、文化、教育和稳定生态系统等方面具有重要价值的植物。地球化石资料证明，在生物出现的38亿年里，没有一种已经灭绝的生物是能够重生的。因此，珍稀濒危植物是一个国家重要而不可替代的种质资源，亟须我们保护。但要实现珍稀濒危植物的有效保护，需要多学科、多领域的专家们携起手来，联合进行攻关，才能有效扭转它们濒临灭绝这一颓势。

  种子是裸子植物和被子植物繁衍的关键所在，许多起源古老的孑遗植物能够历经恶劣的地质和气候变化繁衍至今，种子起到了至关重要的作用。同时，种子也是实施植物多样性保护的重要对象，通过现代种子库方式，就能有效降低就地保护中的潜在风险，并能以较低的成本实现较大范围的物种保护，且保存期限长，后期使用方便。开展珍稀濒危植物种子的形态解剖研究，将能促进人们对这些种子的认识，并从种子这一独特视角来审视这些物种濒危的内在原因，制订有效保护措施，同时有利于改善管理方式，提高资源管理水平。但让人遗憾的是，我国至今都没有一部珍稀濒危植物种子形态方面的专著出版，且现存资料信息较少，严重影响了我国珍稀濒危植物的研究和保护工作。

  很高兴看到，中国科学院昆明植物研究所的种质资源库团队，应用先进的研究技术，基于16年的工作积累，编写了《中国珍稀濒危植物种子》一书。该书对我国56科160种珍稀濒危植物种子进行了深入而系统的介绍，不仅包括了种子的外部形态、内部结构、相关散布特性、贮藏特性和萌发特性，还介绍了植株生活型、分布、经济价值、科研价值和濒危原因等，内容丰富，兼具种子形态学、生理学、生态学、贮藏加工学和保护生物学等多学科知识，具有较高的学术价值和实用价值。另外，该书还配以2000多张照片来进行说明和展示，照片类型包括光学照片、光学显微照片、X光照片和电镜照片四类，内容涉及植株、花、果序、果实、种子、胚和幼苗等，展示效果直观、生动。此外，该书的排版独特而精美，文字和图片完美融合在一起，是一部集科学性和艺术性于一体的佳作。

  该书的出版填补了我国珍稀濒危植物种子科研专著出版的空白，对于拯救濒危野生植物、保护生物多样性、践行生态文明建设、维护国家种质资源安全具有重要意义。此书出版时，恰逢COP15召开，这算是对其的一份献礼吧！

2022年5月

SEEDS
OF RARE AND ENDANGERED
PLANTS IN CHINA

前 言
—— PREFACE ——

珍稀濒危植物是一类现存数量稀少、灭绝风险较高，却在经济、科学、文化和教育等方面具有重要意义的植物，是我国不可替代的战略生物种质资源，亟须我们保护。

在国务院2021年8月批准的《国家重点保护野生植物名录》中，珍稀濒危植物达到了138科455种和40类，共约1200种，其中种子植物为117科1063种，它们是我国植物研究和多样性保护工作的重要目标。多年以来，我国投入了大量人力和物力，对珍稀濒危植物的分布和濒危状况开展了调查和研究，取得了许多重要成果；但对作为植物重要繁殖器官的种子关注却很少，以致目前大部分珍稀濒危植物种子的形态描述通常只有1~3句话，有的甚至无任何种子形态信息，严重影响了这些种子资源的研究、保护和利用。

开展珍稀濒危植物种子的形态解剖学和生理学研究，不仅能帮助人们深入认识这些种子的形态、结构、散布特性、贮藏特性和萌发特性，还能从种子这一核心要素了解这些物种濒危的内在机制，从而指导人们更有效地来保护这些物种，并更好地利用其种子资源；但开展珍稀濒危植物种子形态解剖学和生理学研究的难度较大。首先，实验材料难以获取，大多数珍稀濒危植物的植株数量较少，要发现并获得合适数量的种子更是难上加难；其次，开展种子形态解剖学和生理学研究需要不同专业的研究者参与，且需要大量专业的设备和技术，持续的时间又较长，这或许就是至今无人系统开展珍稀濒危植物种子形态解剖学及生理学研究的重要原因吧。

依托中国西南野生生物种质资源库的库藏种子资源、保藏设施和实验平台，编者们花费了6年时间，以国务院2021年8月7日批准的《国家重点保护野生植物名录》为依据，对我国56科160种（不含种下等级）珍稀濒危植物的种子进行了深入研究，编撰了此套书。书中共记录裸子植物种子6科29种，被子植物种子50科131种；其中一级保护植物种子30种，二级保护植物种子130种。第一卷包括裸子植物、被子植物基部类群的木兰类分支和单子叶植物分支共18科98种，第二卷包括真双子叶植物的基部分支、蔷薇类分支和超菊类分支共38科62种。在内容方面，本书除了详细描述这160种珍稀濒危植物果实和种子的外部形态、内部结构及散布特性、贮藏特性和萌发特性外，还对其植株生活型、分布、经济价值和科研价值、濒危原因等进行了介绍，信息量较大。另外，本书所含信息较新，其中大部分种子信息为编者们16年来积累的一手素材，如它首次描述了57种植物的种子形态，完善了102种植物种子的形态描述，大部分物种种子的散布、萌发和贮藏特性、胚形态

信息为首次公开发表。此外,本书还从种子的角度探讨了相关物种濒危的原因,对已有的濒危知识进行了补充和完善,并根据种质资源库多年积累的采集数据,对这些植物的花果期、地理分布、生境等也进行了补充和修正,使这部分信息更加准确。在图片方面,本书配以2000多张照片来进行展示和说明,绝大部分为首次公开,照片内容涉及植株、花、果序、果实、种子、胚和幼苗等,类型包括光学照片、光学显微照片、X光照片和电镜照片四种,展示效果比传统的墨线图方式更为直观、生动、真实和准确。在排版方面,图文穿插,互相融合,美观大方。

书中植物科按《国家重点保护野生植物名录》顺序进行排列,即裸子植物科按克氏裸子植物分类系统进行排列,被子植物科按APGⅣ系统进行排列;物种名称与《国家重点保护野生植物名录》保持一致,即以《中国生物物种名录(植物卷)》为物种名称的主要参考文献,同时参考了最新的分类学和系统学研究成果;属和种的排列按拉丁名首字母顺序排列。果实类型根据Spjut(1994)系统确定;果实和种子形状根据分类学协会描述性术语委员会(Systematics Association Committee for Descriptive Terminology)制订的简单对称平面图形和立体图形确定;休眠类型根据Baskins系统确定。每个物种的种子形态数据尽可能来自多份实验材料,并按照统一标准进行描述,包括种子的形状、大小、颜色、表面纹饰和附属物,胚乳的含量、颜色和质地,胚的形状、颜色和质地等30多个性状点。

本书的出版填补了我国珍稀濒危植物种子形态研究专著出版的空白,有助于促进公众对我国珍稀濒危植物种子的认识;有助于种子保藏单位改进种子的处理、检测和萌发方法,提高保藏水平;有助于检验检疫部门和海关快速准确地识别出这些珍贵的种子,防止其外流,维护国家生物战略资源安全;有助于司法部门在工作中依据执法;有助于林草部门和农业农村部门有效利用这些种子资源开展它们的野外回归和生态恢复;也有助于从种子水平来界定植物种属类别、阐明植物进化机制,推动植物分类和系统学研究向微观深层次发展。因此,本书具有较高的学术价值和实用价值。

本书能顺利出版,离不开众多机构和专家的帮助。感谢中国科学院战略性先导科技专项(A类)子课题"重大工程和重点国别的旗舰物种多样性与保护策略"项目(XDA20050204)和云南省委宣传部滇版精品出版工程项目对本项研究和出版经费的支持!感谢李德铢库主任在百忙之中抽出时间来为本书作序!感谢中国科学院植物研究所徐克学研究员,中国科学院武汉植物园胡光万研究员,中国科学院西双版纳热带植物园文彬研究员和朱仁斌高级工程师,上海辰山植物园葛斌杰馆长，上海植物园刘艳春工程师，山东省林木种质资源中心，杭州植物园李晶平老师，深圳桐雅文化传播有限公司吴健梅老师，云南省文山市国家级自然保护区管护分局何德明工程师，云南普洱市林业和草原局叶德平高级工程师，云南中医药大学李宏哲教授，云南林业职业技术学院刘强教授，中国科学院昆明植物研究所孙卫邦研究员、龚洵研究员、李爱荣研究员、刀志灵正高级工程师、庄会富高级工程师、陈文红副研究员、黄永江副研究员、吴增源副研究员、张建文副研究员、胡瑾瑾助理研究员、陶恋助理研究员，提供了部分难得的种子材料和野外照片！感谢王红研究员提供扫描电镜以进行种子显微照片的拍摄！感谢杨永平研究员在基金项目申请中给予的支持！感谢编撰团队的坚持和努力！感谢云南科技出版社对本书出版的大力支持！

由于编者水平有限，书中难免存在不足之处，敬请广大读者批评指正，以便于我们将来进一步完善。

编委会
2022年10月

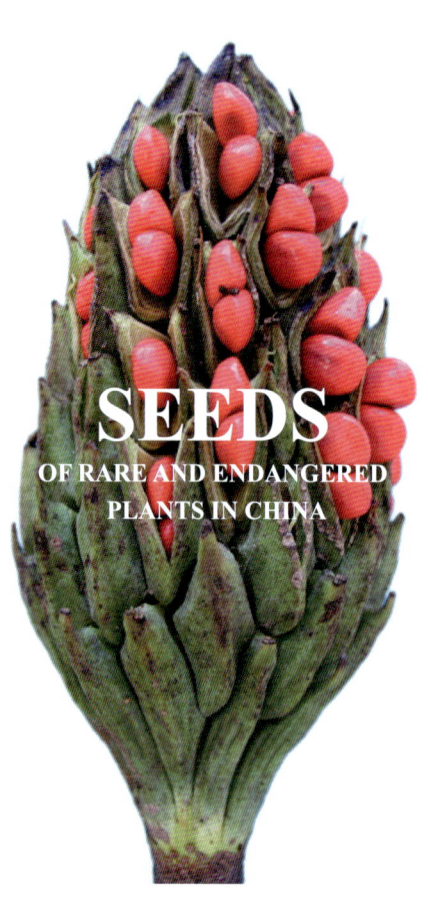

SEEDS
OF RARE AND ENDANGERED PLANTS IN CHINA

目录 CONTENTS

中国珍稀濒危植物种子

2	罂粟科	**Papaveraceae**
2	红花绿绒蒿	*Meconopsis punicea*
10	莲科	**Nelumbonaceae**
10	莲	*Nelumbo nucifera*
20	昆栏树科	**Trochodendraceae**
20	水青树	*Tetracentron sinense*
28	金缕梅科	**Hamamelidaceae**
28	长柄双花木	*Disanthus cercidifolius* subsp. *longipes*
36	银缕梅	*Parrotia subaequalis*
44	连香树科	**Cercidiphyllaceae**
44	连香树	*Cercidiphyllum japonicum*
52	豆科	**Fabaceae**
52	黑黄檀	*Dalbergia cultrata*
60	降香	*Dalbergia odorifera*
68	格木	*Erythrophleum fordii*
76	绒毛皂荚	*Gleditsia japonica* var. *velutina*
84	野大豆	*Glycine soja*
92	肥荚红豆	*Ormosia fordiana*
100	花榈木	*Ormosia henryi*
108	红豆树	*Ormosia hosiei*
116	缘毛红豆	*Ormosia howii*
124	雅砻江冬麻豆	*Salweenia bouffordiana*
132	油楠	*Sindora glabra*

被子植物 ANGIOSPERMAE 〈第二卷〉 VOLUME 2

被子植物 ANGIOSPERMAE

〈第二卷〉 VOLUME 2

140 蔷薇科　Rosaceae
140　光核桃　*Prunus mira*

148 胡颓子科　Elaeagnaceae
148　翅果油树　*Elaeagnus mollis*

156 荨麻科　Urticaceae
156　光叶苎麻　*Boehmeria leiophylla*

164 壳斗科　Fagaceae
164　三棱栎　*Formanodendron doichangensis*

172 胡桃科　Juglandaceae
172　喙核桃　*Annamocarya sinensis*

180 桦木科　Betulaceae
180　普陀鹅耳枥　*Carpinus putoensis*

186 四数木科　Tetramelaceae
186　四数木　*Tetrameles nudiflora*

194 秋海棠科　Begoniaceae
194　古林箐秋海棠　*Begonia gulinqingensis*

200 卫矛科　Celastraceae
200　永瓣藤　*Monimopetalum chinense*

208 安神木科　Centroplacaceae
208　膝柄木　*Bhesa robusta*

216	大戟科	**Euphorbiaceae**
216	东京桐	*Deutzianthus tonkinensis*

224	使君子科	**Combretaceae**
224	千果榄仁	*Terminalia myriocarpa*

232	漆树科	**Anacardiaceae**
232	林生杧果	*Mangifera sylvatica*

240	无患子科	**Sapindaceae**
240	梓叶槭	*Acer amplum* subsp. *catalpifolium*
248	漾濞槭	*Acer yangbiense*
256	云南金钱槭	*Dipteronia dyeriana*
266	伞花木	*Eurycorymbus cavaleriei*
274	掌叶木	*Handeliodendron bodinieri*

282	芸香科	**Rutaceae**
282	红河橙	*Citrus hongheensis*
292	黄檗	*Phellodendron amurense*
300	川黄檗	*Phellodendron chinense*

308	楝科	**Meliaceae**
308	红椿	*Toona ciliata*

316	锦葵科	**Malvaceae**
316	滇桐	*Craigia yunnanensis*
324	丹霞梧桐	*Firmiana danxiaensis*
332	云南梧桐	*Firmiana major*
340	平当树	*Paradombeya sinensis*
348	景东翅子树	*Pterospermum kingtungense*

被子植物 ANGIOSPERMAE

被子植物 ANGIOSPERMAE

〈第二卷〉 VOLUME 2

356	勐仑翅子树	*Pterospermum menglunense*
364	紫椴	*Tilia amurensis*

372 瑞香科 Thymelaeaceae
| 372 | 土沉香 | *Aquilaria sinensis* |

380 龙脑香科 Dipterocarpaceae
| 380 | 东京龙脑香 | *Dipterocarpus retusus* |
| 388 | 坡垒 | *Hopea hainanensis* |

396 叠珠树科 Akaniaceae
| 396 | 伯乐树（钟萼木） | *Bretschneidera sinensis* |

404 铁青树科 Olacaceae
| 404 | 蒜头果 | *Malania oleifera* |

412 瓣鳞花科 Frankeniaceae
| 412 | 瓣鳞花 | *Frankenia pulverulenta* |

420 蓼科 Polygonaceae
| 420 | 金荞麦 | *Fagopyrum dibotrys* |

430 石竹科 Caryophyllaceae
| 430 | 金铁锁 | *Psammosilene tunicoides* |

440 蓝果树科 Nyssaceae
| 440 | 珙桐 | *Davidia involucrata* |

448	**山榄科**	**Sapotaceae**
448	紫荆木	*Madhuca pasquieri*
456	**报春花科**	**Primulaceae**
456	羽叶点地梅	*Pomatosace filicula*
464	**安息香科**	**Styracaceae**
464	秤锤树	*Sinojackia xylocarpa*
472	**茜草科**	**Rubiaceae**
472	香果树	*Emmenopterys henryi*
480	**木犀科**	**Oleaceae**
480	水曲柳	*Fraxinus mandschurica*
488	**车前科**	**Plantaginaceae**
488	胡黄连	*Neopicrorhiza scrophulariiflora*
496	**伞形科**	**Apiaceae**
496	珊瑚菜（北沙参）	*Glehnia littoralis*
504	**参考文献**	
508	**术语解释**	
514	**中文名索引**	
515	**拉丁名索引**	

被子植物 ANGIOSPERMAE

<第二卷>

被子植物
ANGIOSPERMAE
―― VOLUME 2 ――

罂粟科 Papaveraceae

红花绿绒蒿
Meconopsis punicea Maxim.

植株生活型
多年生草本，高30~75cm。

分　　布
产于四川、西藏、青海和甘肃。生于海拔2800~4450m的山坡草地、草甸、高山灌丛及溪边。

经济价值
一种中草药，以花茎和果实入药，有镇痛、止咳、固涩、抗菌等功效。此外，还是一种著名的高山花卉。

科研价值
中国特有植物，对研究中国植物区系的起源与演化具有重要价值。

濒危原因
生境破坏严重；过度采挖。

保护级别 二级

▶ 植株和生境

花果期
花果期6—10月。

果实形态结构
蒴果；近圆球形或椭球形；表面具黄色刺毛或光滑，顶端具盘状宿存花柱；干后棕褐色或紫褐色；长18~25mm，宽10~13mm。果皮革质；成熟后4~6瓣自顶端开裂至全长的1/3；内含许多细小种子。

传播体类型
种子。

传播方式
风力传播。

种子贮藏特性
正常型种子。不耐长期贮藏。

种子萌发特性
具形态生理休眠。在15℃或20℃，12h/12h光照条件下，含200mg/L GA_3 的1%琼脂培养基上，萌发率均可达100%。

▶ 果实

▶ 种子集

5mm

种子形态结构

种子：倒卵形、椭圆形或梭形，弯月状；表面密布乳突状空泡，两侧具0.20~0.27mm宽的狭翅；棕色、褐色或黑褐色；长2.06~3.46mm，宽1.12~2.10mm，厚0.70~1.00mm，重0.00066~0.00114g。

种脐：近圆形；直径为0.07~0.08mm；黑色或棕褐色；位于种子近基部一侧。

种皮：棕色、褐色或黑褐色；膜状胶质；厚0.06mm；紧贴胚乳。

胚乳：含量丰富；白色；肉质，含油脂；包着胚。

胚：椭球形；乳白色；肉质，富含油脂；长0.27~0.38mm，宽0.09~0.20mm，厚0.07~0.13mm；直生于种子中下部中央。子叶2枚；椭圆形；长0.07~0.16mm，宽0.13~0.20mm，厚0.06~0.07mm；"Y"形分离。胚根圆锥形；长0.20~0.22mm，宽0.13~0.20mm，厚0.07~0.13mm；朝向种脐。

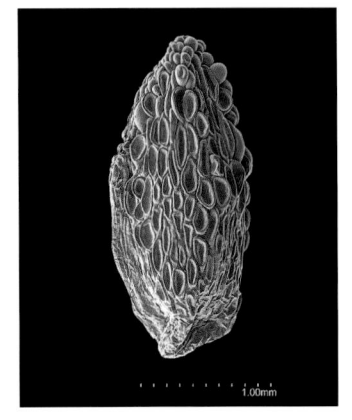

◀ 种子 SEM 照

▶ 种子的背面、腹面、侧面和基部

▶ 种子 X 光照

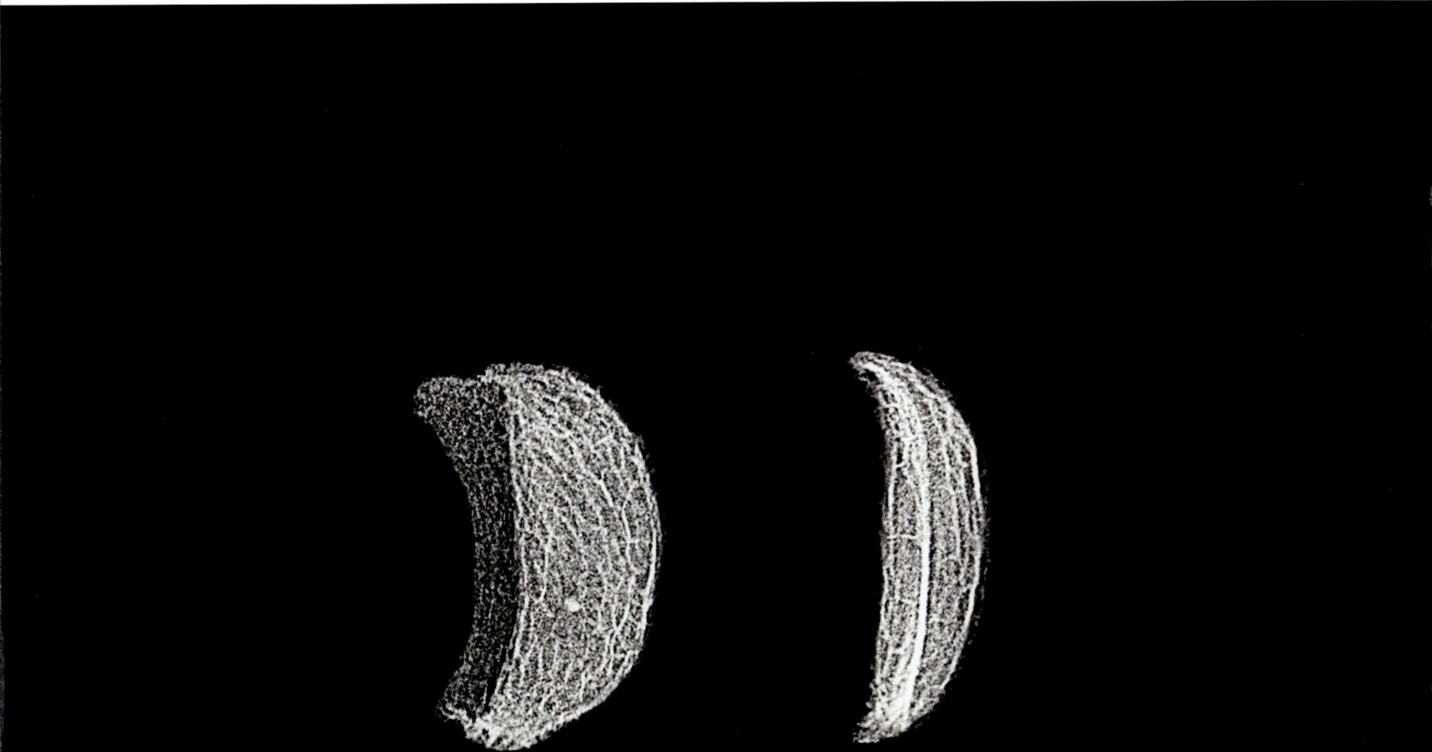

◀ 种子纵切面

1mm

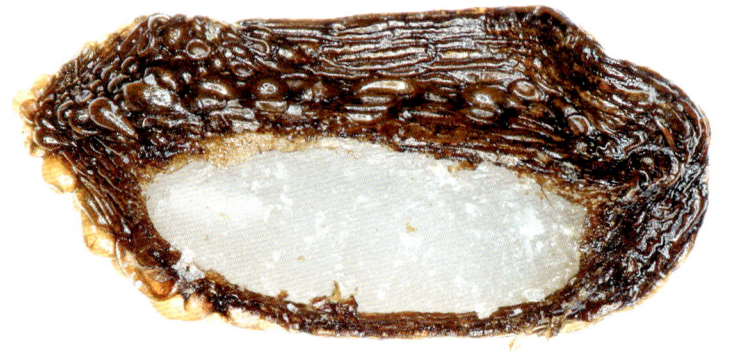

◀ 种子横切面

1mm

▶ 胚正面

200μm

▶ 胚侧面

200μm

莲科 Nelumbonaceae

莲
***Nelumbo nucifera* Gaertn.**

植株生活型
多年生水生草本。

分　　布
产于北京、河北、山西、江苏、安徽、江西、山东、湖南、广东、广西、海南、重庆、云南、陕西和宁夏等地。自生或栽培于池塘或水田内。此外，亚洲其他国家和地区也广泛分布。

经济价值
花，俗称"荷花"，是我国十大名花之一；地下茎，俗称"藕"，可作蔬菜食用或提取淀粉（藕粉）；叶，俗称"荷叶"，具清热止血功效，为茶的代用品，还可用作食物包装材料；果实，俗称"莲子"，味清甜，有补脾止泻、养心益肾功效，是老少皆宜的滋补食品；胚，俗称"莲心"，有清心火、强心降压功效，是一味很好的解毒清凉药。此外，叶柄、花托、花、雄蕊也可作药，有收敛止血作用。

科研价值
莲花新品种培育的亲本材料。

濒危原因
生境破坏；水体污染；过度采挖。

▶ 花和叶

保护级别 二级

花果期

花期6—8月，果期8—10月。

果实形态结构

坚果；椭球形或卵形，顶端尖；棕褐色至黑褐色，表面具一层白色薄蜡；长1.15~1.81cm，宽0.93~1.46cm，厚0.84~1.43cm，重0.5158~1.8349g。果皮角质；厚0.45~0.61mm。果疤圆形；棕褐色；凹；位于果实基部。果皮成熟后不会开裂；内含种子1粒。

◀ 莲蓬侧面

◀ 莲蓬侧面 X 光照

▶ 莲蓬正面

▶ 莲蓬 X 光照

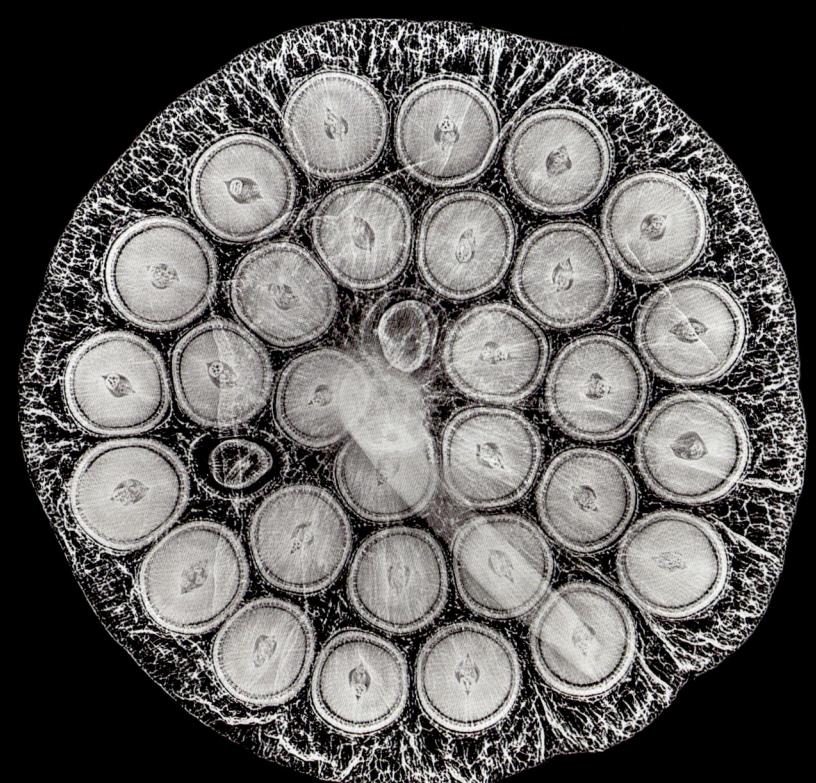

传播体类型

果实或果序。

传播方式

水力传播。

种子贮藏特性

正常型种子。低温干燥条件下贮藏有助于延长其寿命，寿命可达上千年。

种子萌发特性

具物理休眠。切破果皮，在25℃，12h/12h光照条件下，蒸馏水中，萌发率可达100%。

▶ 果实集

2cm

种子形态结构

种子：卵形或椭球形；近基部有一凹圈；黄棕色或红棕色；长11.29~14.81mm，宽10.41~12.98mm。

种脐：近圆形；红褐色；凹；位于种子基端。

种皮：黄棕色或红棕色；泡沫质；表面密布红棕色腺点；厚0.04~0.07mm；紧贴胚乳。

胚乳：乳含量中等；黄白色；半蜡半角质；包着胚。

胚：折叠状；半蜡半角质；黄绿色；生于种子中央；被一层白色、透明的薄膜包裹。子叶2枚；圆形或椭圆形，从两侧分别向内卷成条状；绿色或黄绿色，具绿色叶脉。第一片子叶长6.80~7.10mm，第二片子叶长3.80~4.20mm，分别连于长16.0~17.2mm、宽1.10~1.50mm和长7.00~7.80mm、宽0.90~1.10mm，且内具多个纵向空腔的圆柱形绿色子叶柄上；彼此分离。子叶柄从中上部向下弯曲，将子叶置于两叶柄中间。胚芽披针形；黄色；长2.40~3.00mm，宽0.60~0.90mm；筒状席卷，夹于两子叶柄之间。下胚轴和胚根圆柱形；内具多个纵向空腔；黄色或黄绿色；长2.87~3.96mm，宽1.49~2.20mm，厚1.24~1.90mm；基部钝，朝向种子顶端和果实顶端。

▶ **果实的背面、侧面、基部和顶部**

▶ **果实 X 光照**

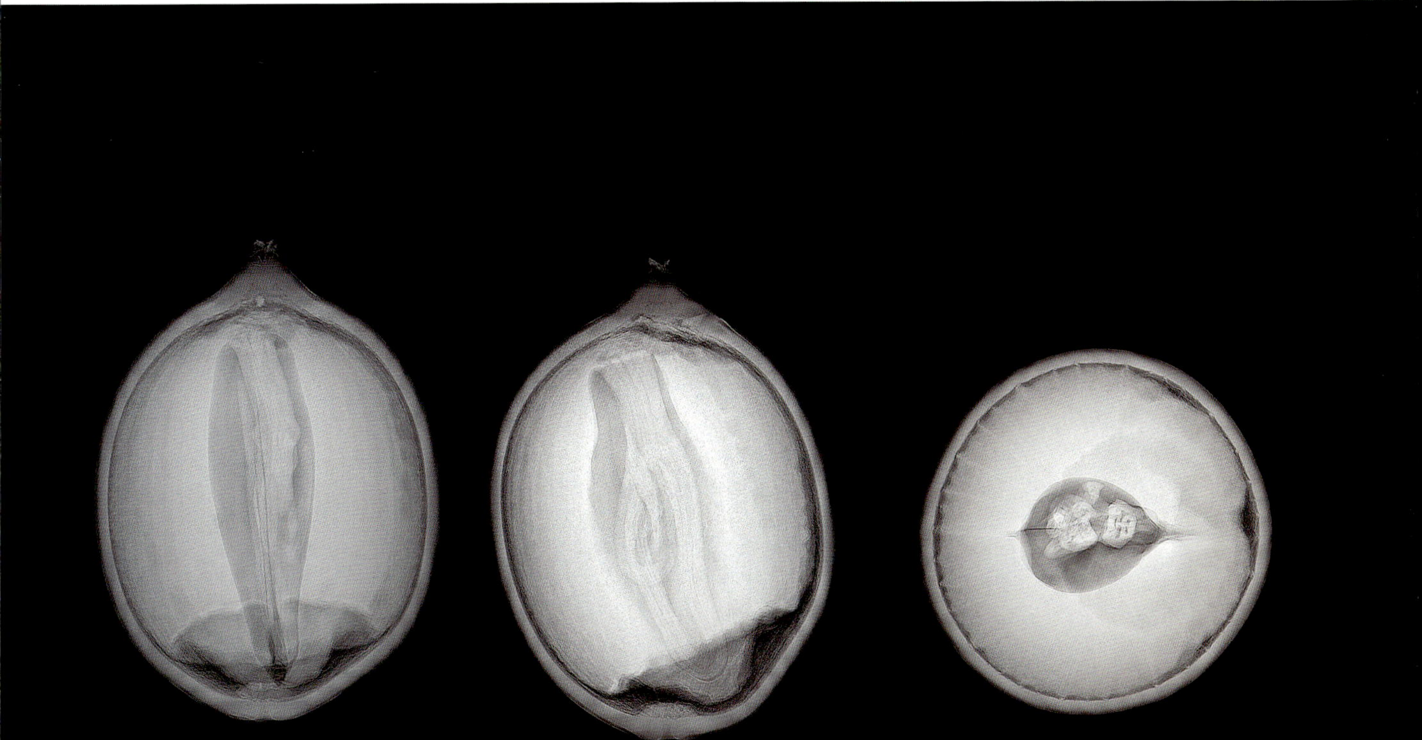

◀ 种子

◀ 果实纵切面

◀ 果实横切面

▶ 胚

2mm

▶ 幼苗

5mm

昆栏树科 Trochodendraceae

水青树
***Tetracentron sinense* Oliv.**

保护级别 二级

植株生活型
落叶乔木，高可达40m，胸径达1.5m。

分　　布
产于甘肃、陕西、河南、湖北、湖南、重庆、四川、贵州、云南和西藏。生于海拔1000~3500m的沟谷林及溪边杂木林中。此外，印度、缅甸、泰国、尼泊尔、不丹和越南也有分布。

经济价值
木材可制家具和作造纸原料；树姿美观，是优良的观赏或行道树种。

科研价值
单种属植物和孑遗植物，木材无导管，对研究昆栏树科植物的系统发育、被子植物的起源与演化，以及我国古代植物区系的演化都具有重要价值。

濒危原因
第四纪冰期影响；生境破坏严重；过度砍伐；种群天然更新困难。

▶ 植株

花果期
花期6—7月，果期8—10月。

果实形态结构
蒴果；四棱柱形；黄棕色或棕褐色；长3~5mm；成熟后室背4深裂；内含种子4~6粒；基部花萼宿存。

传播体类型
种子。

传播方式
风力传播。

种子贮藏特性
正常型种子。低温干燥条件下贮藏有助于延长种子寿命。

种子萌发特性
无休眠。在20℃、25℃、25℃/15℃，12h/12h光照条件下，1%琼脂培养基上，萌发率可达90%以上。

▶ 果序

▶ 种子集

5mm

种子形态结构

种子：纺锤形或椭圆形，直或弯；表面具网纹，两侧具狭翅，背部具一纵棱或无棱；黄棕色或棕色；长1.83~2.87mm，宽0.47~0.67mm，厚0.33~0.60mm，重0.000100~0.000145g。

种皮：外种皮外层黄棕色，膜质；内层灰白色，胶质，厚0.02mm。内种皮棕色；膜状胶质；紧贴胚乳。

胚乳：含量丰富；白色；肉质，含油脂；包着胚。

胚：心形；白色；肉质，含油脂；长0.20~0.31mm，宽0.10~0.22mm，厚0.16mm；位于种子基部。

▶ 种子的背面、腹面和侧面

▶ 种子 X 光照

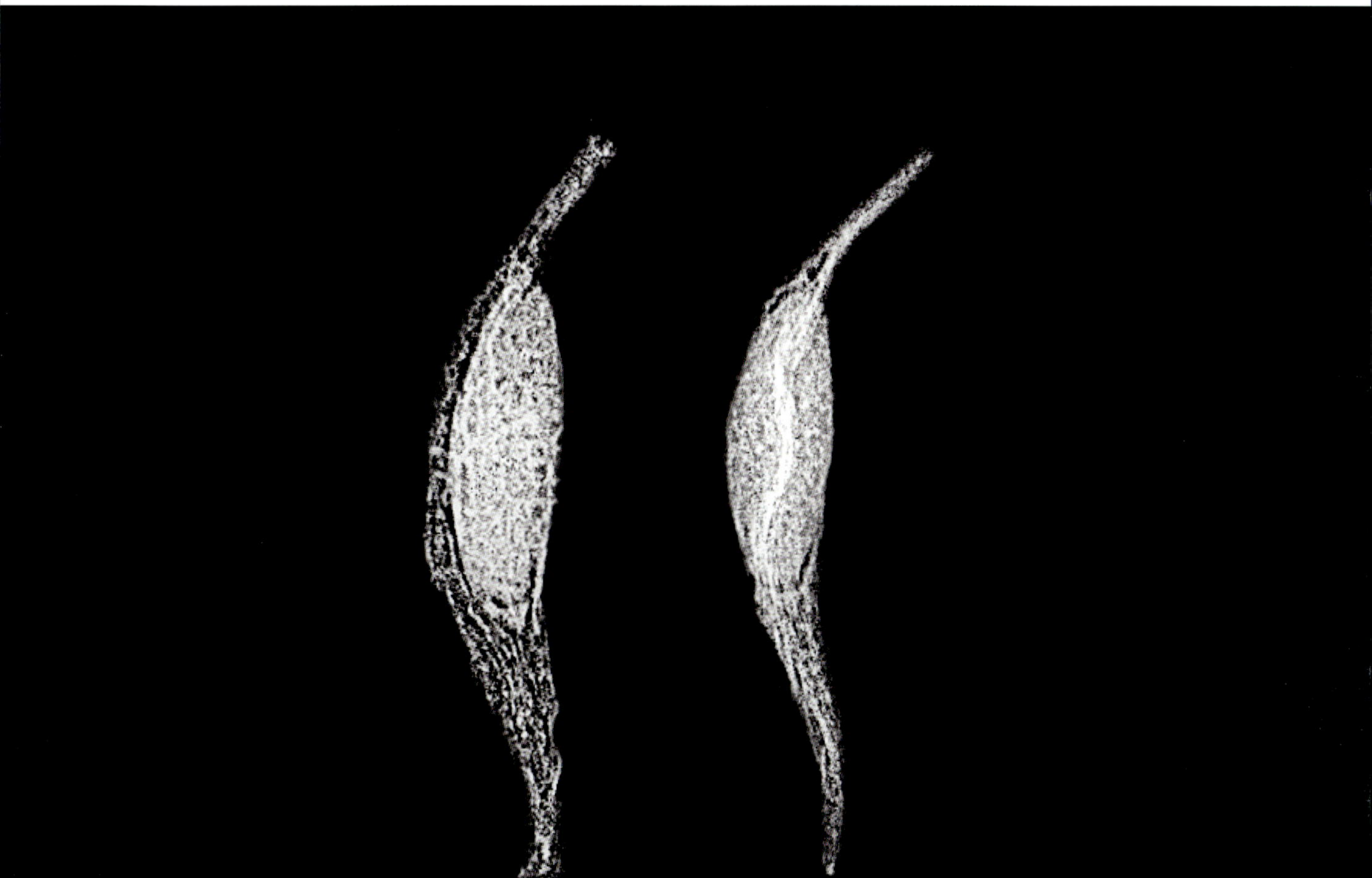

◀ 带内种皮的种子

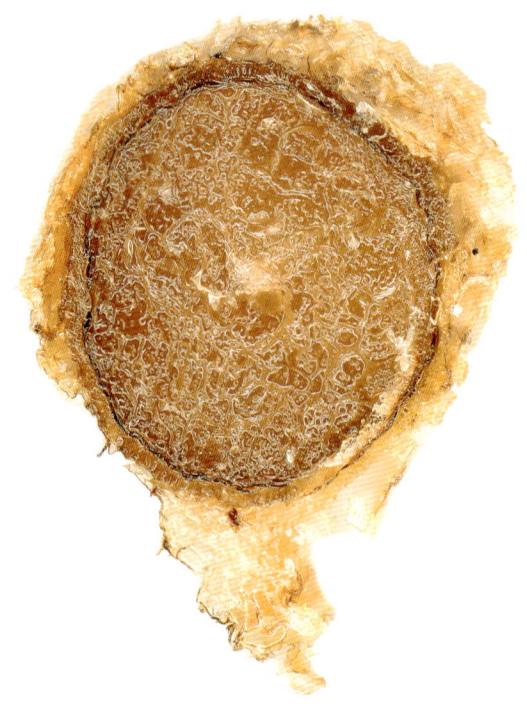

◀ 种子横切面

▶ 种子纵切面

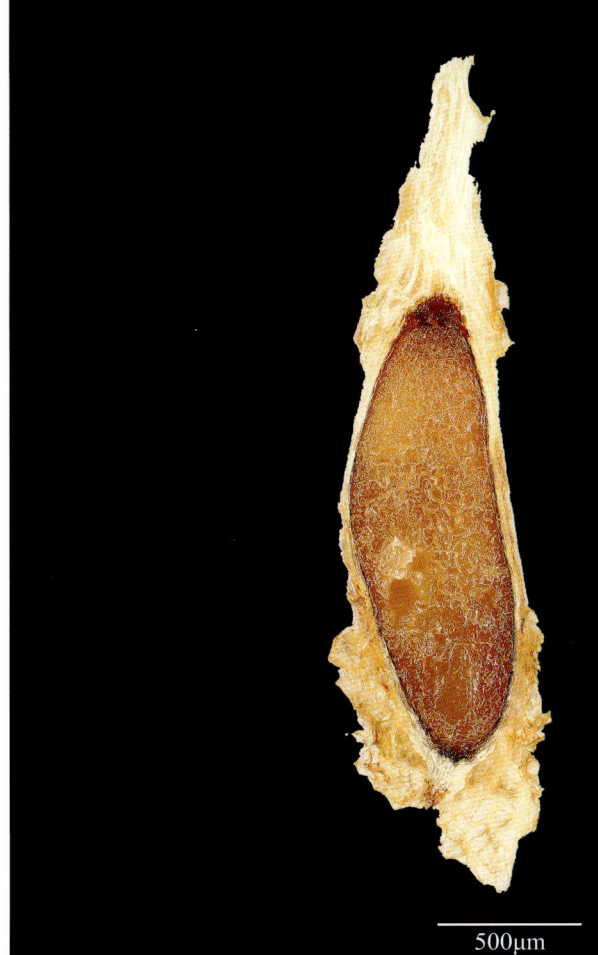

▶ 胚

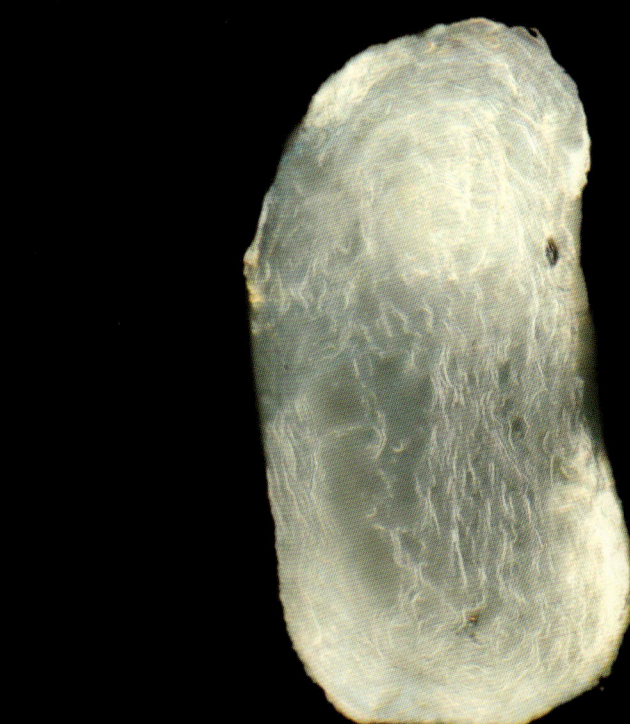

金缕梅科 Hamamelidaceae

长柄双花木
Disanthus cercidifolius subsp. *longipes* (H. T. Chang) K. Y. Pan

保护级别 二级

植株生活型
落叶灌木，高2~4m。

分　　布
产于湖南、江西和浙江。生于海拔450~1600m的山地常绿和落叶阔叶混交林中。

经济价值
既是优良用材，又是庭园观赏树种。此外，花、果、叶富含芳香物，可提取香料。

科研价值
中国特有单种属植物和孑遗植物，对研究金缕梅科植物系统发育、古植物区系、古地理及第四纪冰川气候具有重要价值。

濒危原因
第四纪冰期影响；分布区狭窄；生境破坏严重；种群过小，幼果需在寒冷的冬季生长，种子败育严重，种皮坚硬而萌发难，导致种群天然更新困难。

▶ 花

花果期
花期10—12月，果实翌年9—10月成熟。

果实形态结构
蒴果；矩圆形，两端具两尖头；黑褐色；长1.2~1.6cm，宽1.1~1.5cm；两果实常背向双生于一根果柄上。果皮木质，成熟后室背开裂，每室有种子5~6粒。

传播体类型
种子。

种子贮藏特性
不耐久藏。

种子萌发特性
具混合休眠。在浓硫酸溶液中浸种10h后，于20℃用500mg/L GA_3 浸种48h，然后与湿沙相拌，12月置于室外层积至翌年3月，20℃条件下，萌发率为40%。

▶ 开裂果实

▶ 种子集

5mm

种子形态结构

种子： 卵形、椭圆形或钝三角形，基部斜截；黑色，有光泽；长4.28~5.37mm，宽2.18~3.30mm。

种脐： 椭圆形、卵形或钝三角形；黄棕色；长1.47~1.60mm，宽0.69~0.93mm；位于种子基部的斜截处。

种皮： 外种皮黑色；骨质；厚0.17~0.49mm。内种皮黄棕色；膜质；紧贴胚乳。

胚乳： 含量丰富；白色；肉质，富含油脂；包着胚。

胚： 倒卵形或椭圆形，稍扭；白色或黄白色；肉质，含油脂；长3.25~4.09mm，宽0.65~1.18mm，厚4.33~5.57mm；直生于种子中央。子叶2枚；椭圆形，扁平；乳黄色或乳白色；长1.46~2.50mm，宽0.69~1.15mm，厚1.86~3.25mm；并合。胚根圆柱形；长0.95~1.93mm，宽0.47~0.75mm，厚0.50~0.60mm；朝向种脐。

▶ **种子的背面、侧面和基部**

▶ **种子 X 光照**

2μm

◀ 种子纵切面

2mm

◀ 种子横切面

1mm

▶ 胚

1mm

▶ 萌发中的种子

5mm

金缕梅科 Hamamelidaceae

银缕梅
Parrotia subaequalis (Hung T. Chang) R. M. Hao & H. T. Wei

保护级别 二级

植株生活型
落叶小乔木，高4~5m。

分　　布
产于江苏、浙江、安徽、江西等地。生于海拔600~700m的杂木次生林中。

经济价值
既是优良的用材树种，又是优美的园林绿化植物和盆景树种。

科研价值
中国特有植物和第三纪孑遗植物，其原产地在三叠纪早中期是古青龙海浅海区和局部海陆交互地带，后随海水退却变为陆生，对研究金缕梅亚科无花瓣类群的系统发育、古植物区系、古地理具有重要价值。

濒危原因
第四纪冰期影响；生境破坏严重；过度砍伐；种群过小，易受干扰。

▶ 果枝

花果期

花期4—5月，果实6—8月成熟。

果实形态结构

蒴果；椭球形；棕褐色；长8~9mm；顶端具短的宿存花柱，基部被长2.1~2.5mm、宽1.2~1.5mm的萼筒包裹，萼筒边缘与果皮稍分离。果皮干后2片开裂，每片再2浅裂。

传播体类型

种子。

种子贮藏特性

不耐久藏。

▶ 果实

▶ 种子集

种子形态结构

种子：椭球形或卵形；棕色或棕褐色，有光泽，背腹面近基部具椭圆形黄斑；长5.86~7.77mm，宽2.91~3.39mm，厚2.60~3.03mm，重0.0260~0.0359g。

种脐：白色；条状；长1.10~1.60mm；位于种子基端。

种皮：外种皮棕色或棕褐色；骨质；厚0.20~0.30mm。内种皮白色或黄棕色；膜质；紧贴胚乳。

胚乳：含量中等；厚0.60mm；白色；蜡质；包着胚。

胚：卵形；白色；蜡质；长5.30~5.60mm，宽2.00~2.10mm，厚0.33~0.40mm；直生于种子中央。子叶2枚；长卵形，扁平；长3.70~4.00mm，宽2.00~2.22mm，厚0.17~0.20mm；并合。胚根扁圆柱形；长1.60~2.20mm，宽0.70~0.90mm，厚0.29mm；朝向种脐。

◀ 种子表面 SEM 照

▶ 种子的腹面、侧面和基部

▶ 种子 X 光照

2mm

◀ 带内种皮的种子

1mm

◀ 种子横切面

1mm

▶ 种子纵切面

1mm

▶ 胚

1mm

连香树科 Cercidiphyllaceae

连香树
Cercidiphyllum japonicum Siebold & Zucc.

保护级别 二级

植株生活型
落叶乔木，高10~20（~40）m。

分　　布
产于山西、河南、陕西、甘肃、四川、云南、贵州、湖北、湖南、江西、浙江和安徽。生于海拔650~2700m的常绿阔叶林中或林缘及林中开阔地的杂木林中。此外，日本也有分布。

经济价值
稀有珍贵的用材树种和观赏树种。此外，树皮与叶片含鞣质，可提制栲胶；叶与果含焦性儿茶酚，能治疗小儿抽搐惊风、肢冷等症；叶中含有麦芽醇，常被用作香味增强剂。

科研价值
新生代第三纪留下的孑遗植物，对研究第三纪植物区系起源及中国与日本植物区系的关系具有重要价值。

濒危原因
第四纪冰期影响；生境破坏严重；过度砍伐；结实率低，幼苗易受暴雨、病虫等危害，导致种群天然更新困难。

▶ 果枝

花果期
花期4—5月，果实8—10月成熟。

果实形态结构
聚合蓇葖果2~6个。蓇葖圆柱形，稍扁而略弯曲；顶端渐细，具宿存花柱，基部具4~7mm长的果梗；黄棕色或棕褐色；长10.70~16.27mm，宽3.16~4.24mm，厚2.73~3.86mm，重0.0344~0.0642g。果皮革质；成熟后沿腹缝线开裂；内含种子10~15粒。

传播体类型
种子。

传播方式
风力传播。

种子贮藏特性
正常型种子。在低温干燥条件下贮藏，寿命可达5年以上。

种子萌发特性
具生理休眠。在20℃或25℃/15℃，12h/12h光照条件下，1%琼脂培养基上，萌发率均可达90%以上。

▶ 果实

▶ 种子集

4mm

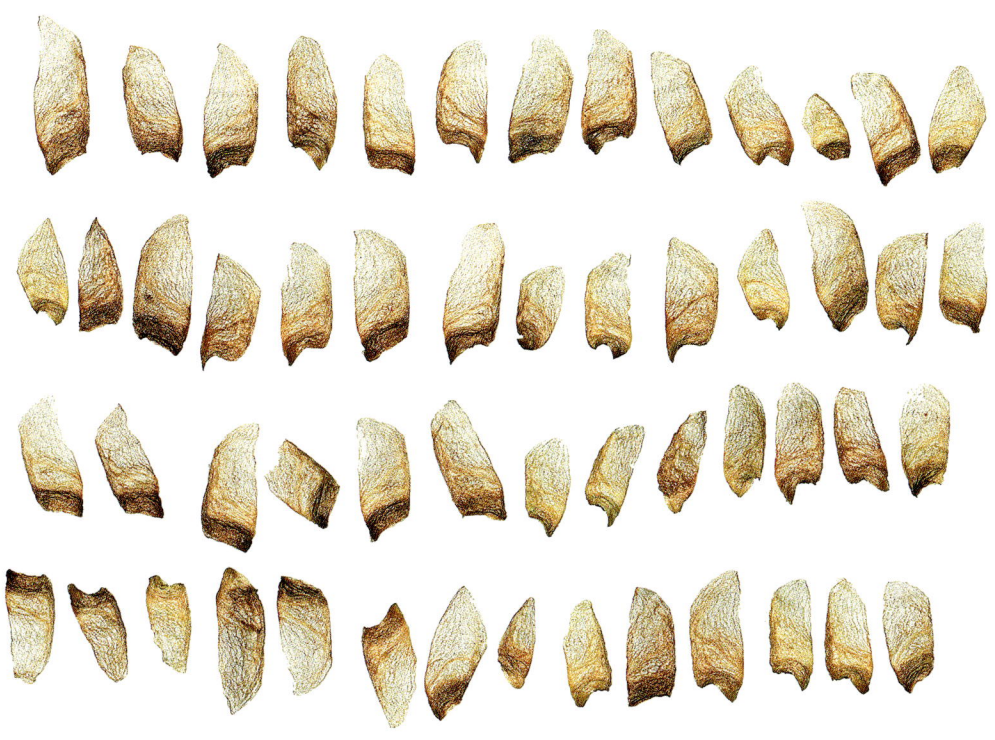

5mm

种子形态结构

种子：短圆柱形，稍扁而弯；顶端具长3.50~4.10mm、宽1.80~2.40mm的浅黄棕色卵形膜质翅；黄棕色；长4.87~6.00mm，宽1.62~2.50mm，厚0.70~1.00mm，重0.75~0.90mg。

种脐：不明显，位于种子一侧。

种皮：外种皮黄棕色；膜质。内种皮黄棕色；胶质；厚0.02mm；紧贴胚乳。

胚乳：含量中等；乳白色或黄色；蜡质，含油脂；包着胚。

胚：圆柱形；乳白色或乳黄色；蜡质，含油脂；长1.33~1.56mm，宽0.27~0.44mm，厚0.20~0.22mm；横生于种子基部。子叶2枚；长矩圆形，扁平；长0.71~1.00mm，宽0.38~0.44mm，厚0.10~0.11mm；并合。下胚轴和胚根扁圆柱形，基端较尖；长0.84mm，宽0.38~0.44mm，厚0.20~0.22mm；朝向种脐。

▶ 种子的背面、腹面和侧面

▶ 种子 X 光照

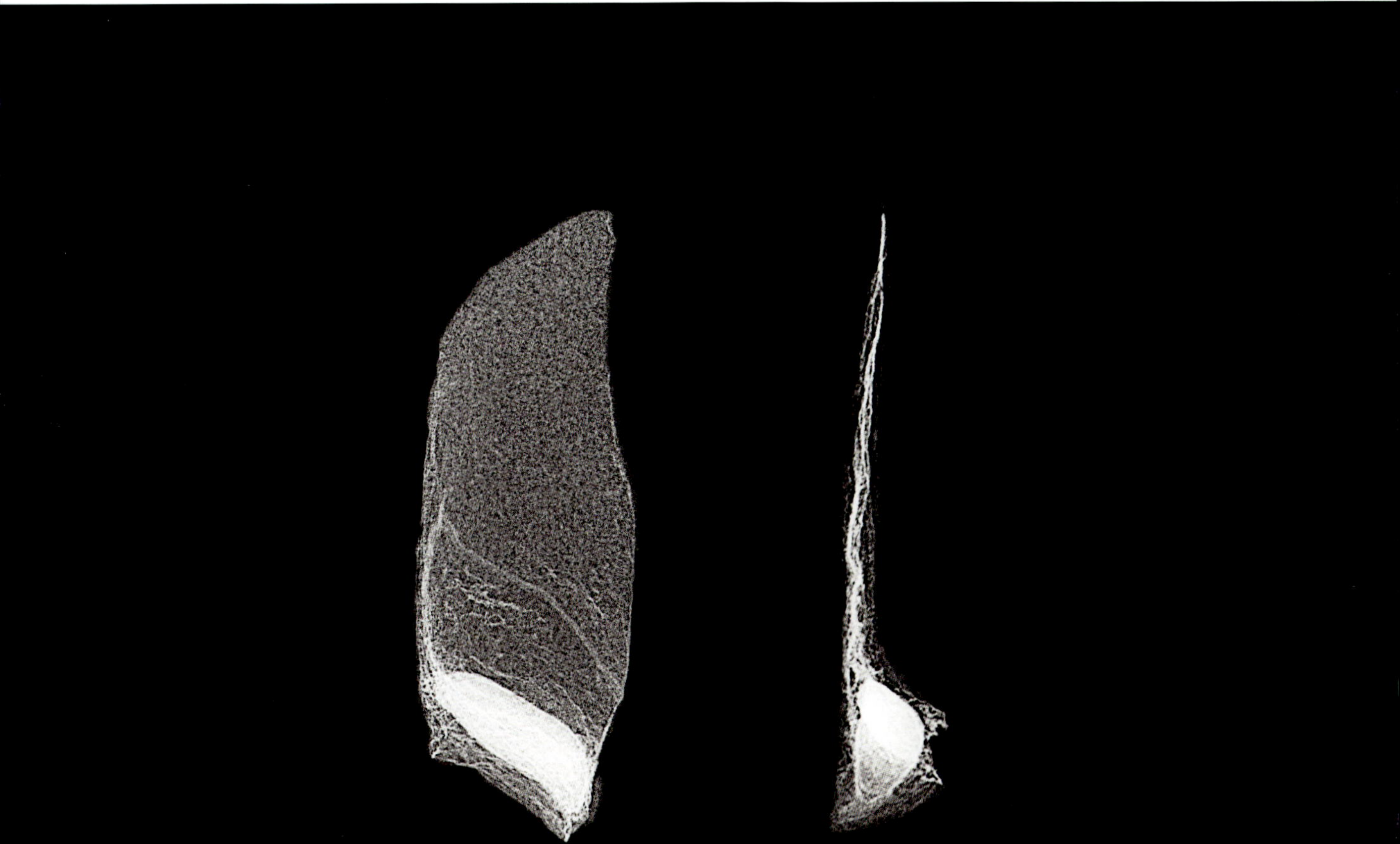

◀ 种子纵切面

1mm

◀ 种子侧切面

1mm

▶ 胚

500μm

▶ 萌发中的种子

豆科 Fabaceae

黑黄檀
Dalbergia cultrata Graham ex Bentham

保护级别 二级

植株生活型
常绿大乔木，高18~25m，胸径50~80cm。

分　　布
产于云南。生于600~1700m的山地次生杂木林和次生阔叶林中。此外，孟加拉国、老挝、缅甸和越南也有分布。

经济价值
是一种特级硬木，属红木中的上品，也是一种良好的紫胶虫寄主树。

濒危原因
分布区狭窄；生境破坏严重；过度砍伐；种群小，种子虫蛀严重，导致种群天然更新困难。

▶ 植株

花果期
花期4—5月，果期10月至翌年2月。

果实形态结构
荚果；椭圆形或长椭圆形，扁而薄；棕褐色；长4~10cm，宽0.9~1.5cm。果皮厚纸质或近革质，在种子部位有细网纹，成熟后不会开裂；内含种子1~4粒。

传播体类型
果实。

传播方式
风力传播。

种子贮藏特性
正常型种子。在自然条件下，寿命为0.5~1年；而在低温干燥条件下贮藏，寿命可达7年以上。

种子萌发特性
无休眠或具物理休眠。在20℃，12h/12h光照条件下，1%琼脂培养基上，萌发率为80%。

▶ 果实

▶ 种子集

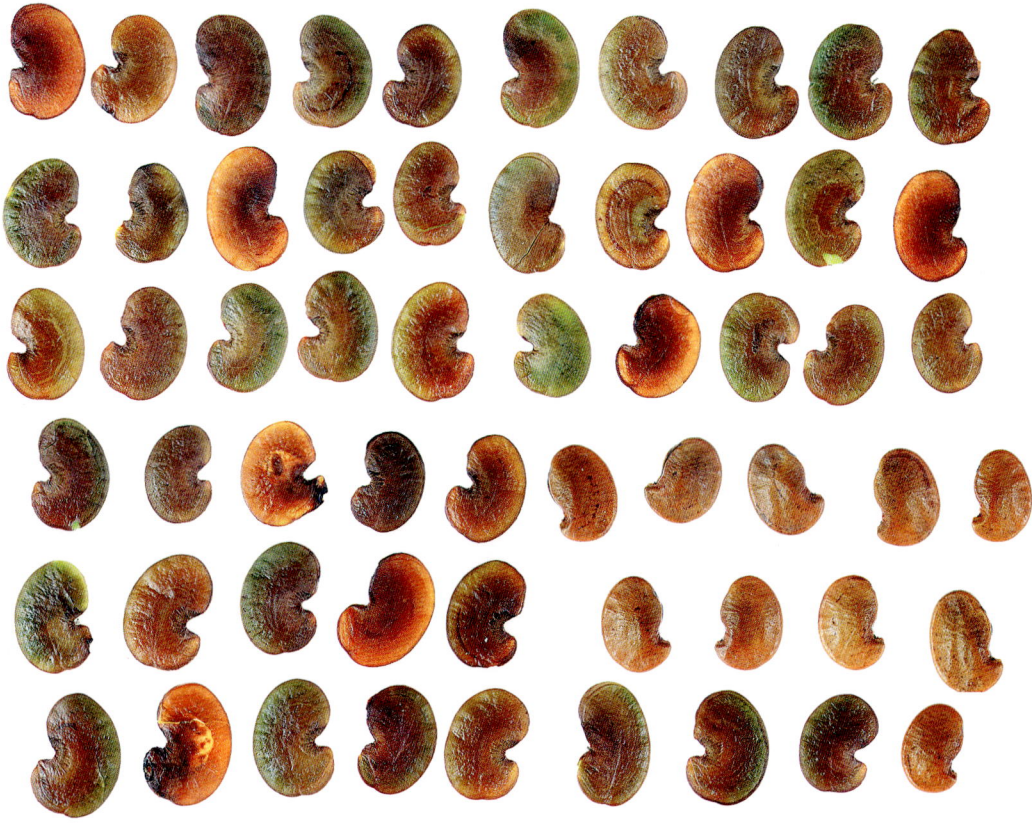
2cm

种子形态结构

种子：肾形，扁平；表面具不规则凹点；绿棕色、棕色或红棕色；长7.96~12.02mm，宽5.45~8.81mm，厚2.00~2.43mm，重0.0566~0.0780g。

种脐：长椭圆形或近圆形；枯黄色或黄色；长0.27~0.40mm，宽0.20~0.24mm；位于种子中部一侧的凹陷处。

种皮：绿棕色、棕色或红棕色；纸质；厚0.06~0.21mm；紧贴胚。

胚乳：无。

胚：肾形；黄绿色或黄色；蜡质；长8.92~11.35mm，宽5.36~8.38mm，厚0.67~0.89mm。子叶2枚；肾形，扁平；黄色或黄绿色；长8.14~10.94mm，宽5.22~7.44mm，厚0.33~0.44mm；并合。下胚轴和胚根长圆柱形；长3.45~6.62mm，宽1.70~2.36mm，厚0.20~0.29mm；位于种子基部，偏向种脐一侧，与子叶缘倚，或部分被子叶覆盖；朝向种脐。

▶ 种子的腹面和侧面

▶ 种子 X 光照

2mm

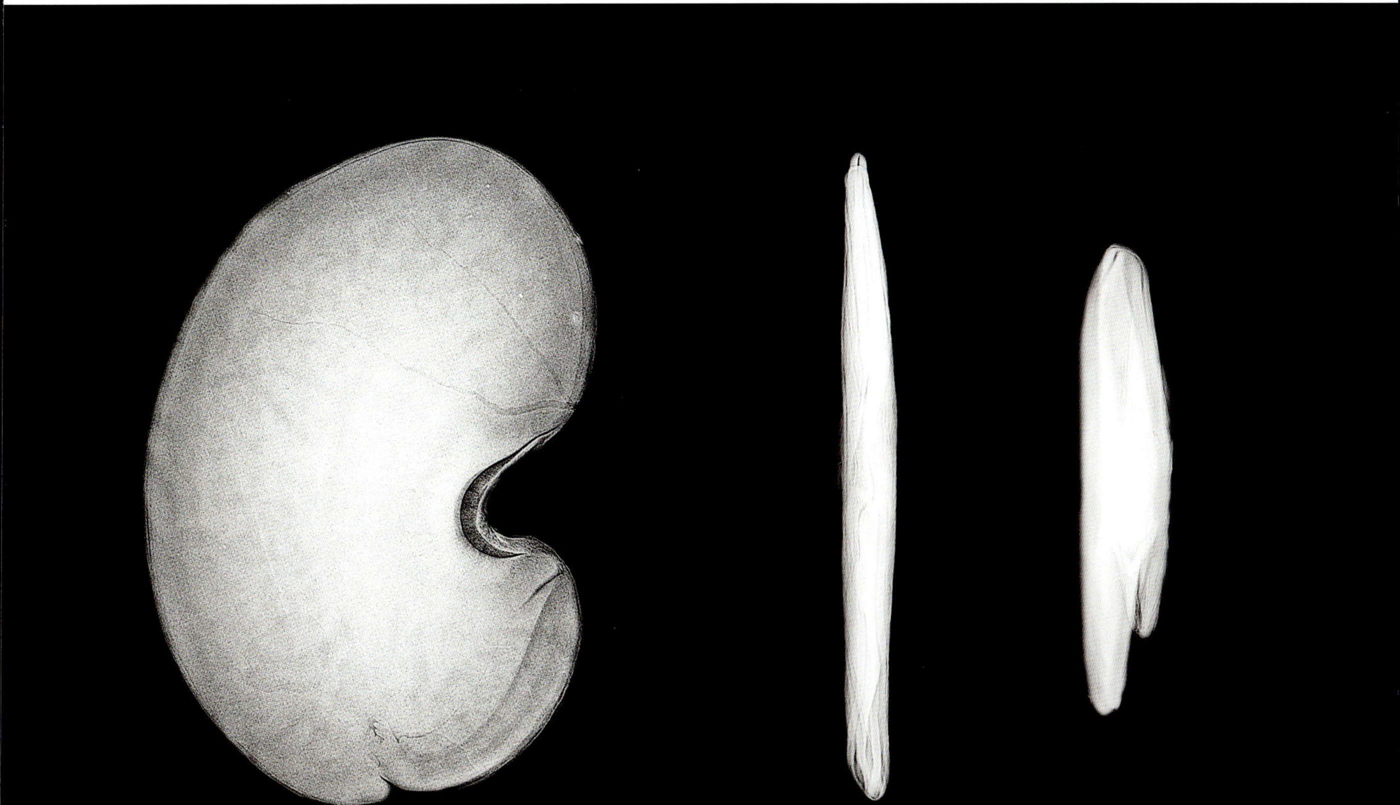

◀ 种子纵切面

2mm

◀ 种子横切面

2mm

▶ 胚

2mm

豆科 Fabaceae

降香
***Dalbergia odorifera* T. C. Chen**

保护级别 二级

植株生活型
常绿乔木,高10~15m。

分　　布
产于浙江、福建、海南、广西和云南。生于中海拔100~500m的开阔林带、山坡、林缘、荒地或湖边。

经济价值
优良的上等家具用材树种和海南主要造林树种；其木材经蒸馏后所得的降香油，可作香料上的定香剂；树干和根的干燥心材是一味中药，名降香，有化瘀止血、理气止痛等功效，能治疗吐血、衄血、外伤出血、肝郁胁痛、胸痹刺痛、跌扑伤痛、呕吐腹痛等症。

科研价值
中国特有植物，对研究中国植物区系的起源与演化具有重要价值。

濒危原因
分布区狭窄；过度砍伐和利用。

▶ 植株

花果期
花期4—6月，果期7—12月。

果实形态结构
荚果；椭圆形；两侧具翅，顶端钝或急尖；种子部位隆起，表面具粗网纹；棕褐色；长4.50~8.00cm，宽1.51~2.30cm，厚0.16~0.30cm，重0.1278~0.2015g。果皮纸质；厚0.18mm；干后不会开裂；内含种子1~2粒。

传播体类型
果实。

传播方式
风力传播。

种子贮藏特性
正常型种子。在低温干燥条件下贮藏，寿命可达3年以上。

种子萌发特性
无休眠。切破种皮，然后在20℃，12h/12h光照条件下，1%琼脂培养基上，萌发率可达100%。

▶ 果实的腹面和背面

▶ 果实集

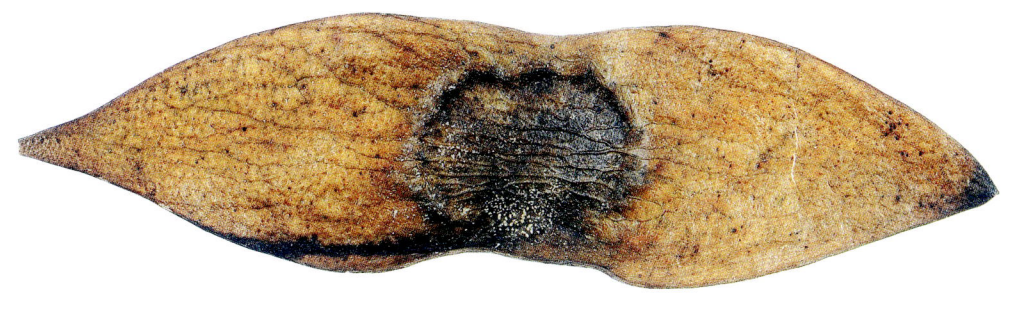
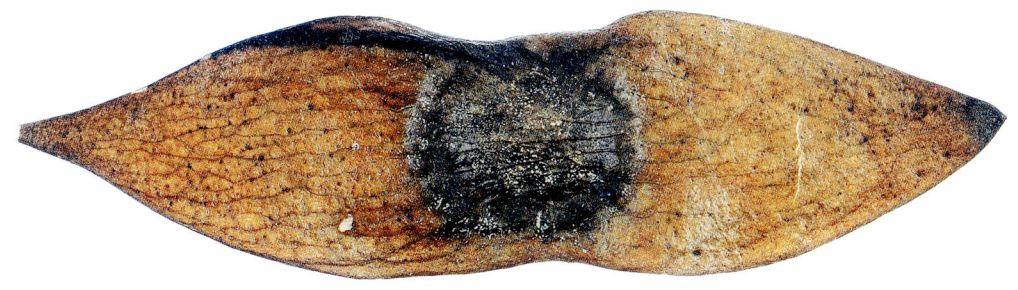

2cm

4cm

种子形态结构

种子：肾形，扁平；棕褐色或褐色；长9.40~11.19mm，宽6.20~7.76mm，厚1.42~1.78mm，重0.06~0.09g。

种脐：椭圆形或卵形；黄褐色或褐色；长0.29~0.40mm，宽0.27~0.33mm；位于种子一侧的中下部。

种皮：棕褐色或褐色；革质；厚0.04~0.09mm。

胚乳：无。

胚：肾形；橙黄色；蜡质；长10.60~10.75mm，宽5.97~6.27mm，厚1.20~1.50mm；直生于种子中央。子叶2枚；倒卵形，扁平，长9.85~10.00mm，宽5.97~6.27mm，厚0.60~0.70mm；并合。下胚轴和胚根扁圆柱形；长4.78~8.66mm，宽0.75~0.90mm，厚0.64mm；位于种子基部，稍偏一侧，与子叶缘倚，或部分包于子叶中；朝向种脐。

▶ **种子的背面、腹面、侧面和基部**

▶ **种子X光照**

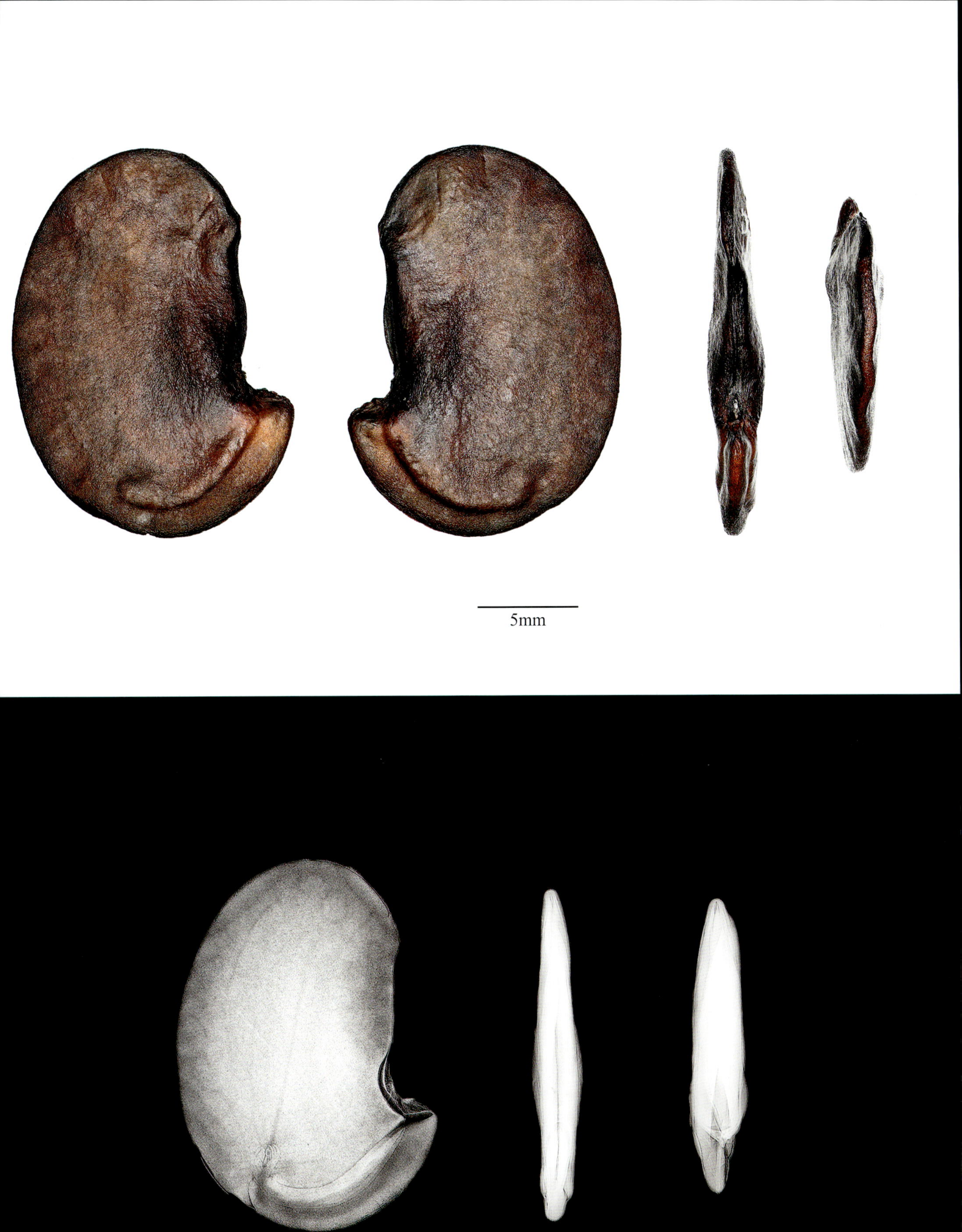

5mm

◀ 种子纵切面

2mm

◀ 种子横切面

2mm

▶ 胚

2mm

豆科 Fabaceae

格木

***Erythrophleum fordii* Oliv.**

植株生活型
常绿乔木，通常高约10m，有时可达30m。

分　　布
产于浙江、广西、广东、福建、澳门、台湾、海南、云南和贵州。生于800m以下的低山及丘陵的密林或疏林中。此外，柬埔寨和越南也有分布。

经济价值
既是珍贵的硬材树种，又是优良的园林观赏树种和贫瘠地的造林先锋树种。

濒危原因
生境破坏严重；过度砍伐和利用；种子较难萌发，导致种群天然更新困难。

保护级别 二级

▶ 花枝

花果期
花期5—6月，果期8—10月。

果实形态结构
荚果；长圆形，扁平；黑褐色；长115.12~156.90mm，宽40.70~53.24mm。果皮厚革质；有网脉，具皮孔；成熟后开裂；内含种子5~12粒。

传播体类型
种子。

传播方式
自体传播。

种子贮藏特性
正常型种子。低温干燥条件可延长其寿命。

种子萌发特性
具物理休眠。播种前用80~100℃沸水浸种，或用浓硫酸浸种10min，然后水洗，并浸泡12h，再行播种，经5~12d发芽，发芽率可达86%以上。

▶ 种子集

2cm

种子形态结构

种子：椭圆形，稍扁；顶端平截，中央微凹；表面光滑，具一层白色薄蜡，周边具一条宽0.56~0.67mm的粗黑线；棕褐色或黑褐色；长13.85~16.42mm，宽9.48~12.08mm，厚4.60~6.58mm，重0.6440~0.7279g。

种脐：近圆形；黄棕色；长0.62~0.80mm，宽0.44~0.56mm；稍突起；位于种子基端。

种皮：棕褐色或黑褐色；角质；厚0.33~0.51mm。

胚乳：含量少；厚1.18~1.44mm；白色，半透明；角质；包着胚。

胚：椭圆形；蜡质；长12.09~14.18mm，宽8.66~9.70mm，厚2.50~3.40mm；直生于种子中央。子叶2枚；宽椭圆形，扁平；黄色、黄绿色或绿色；长11.64~15.00mm，宽8.66~10.15mm，厚1.30~1.70mm；并合。胚根近卵形或钝菱形；黄色；长2.24~5.00mm，宽2.24~3.07mm，厚2.50~2.76mm；直生于种子基部中央；朝向种脐。

▶ 种子的背面、腹面、侧面和基部

▶ 种子 X 光照

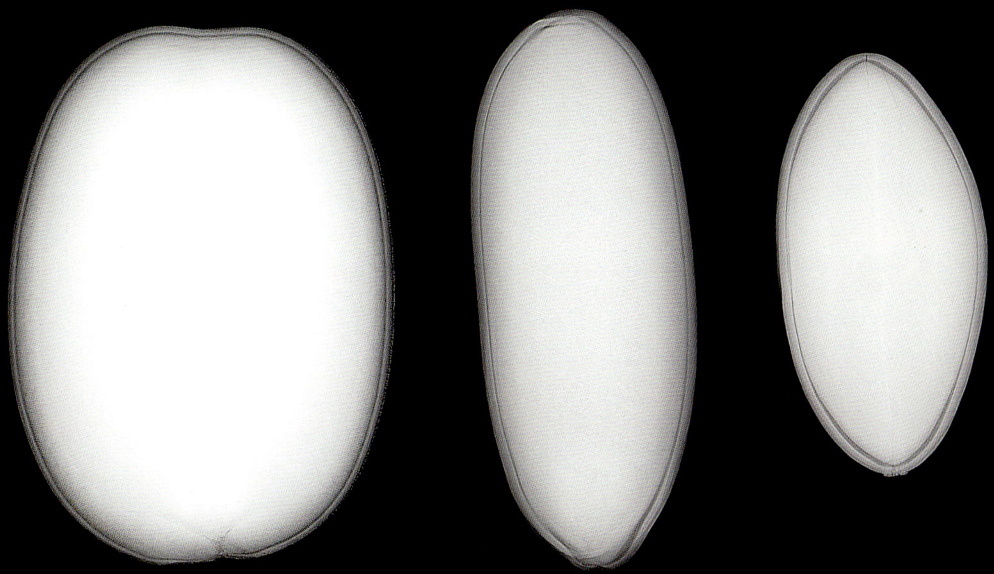

◀ 种子纵切面

5mm

◀ 种子横切面

5mm

▶ 胚正面

5mm

▶ 胚基部

5mm

▶ 萌发中的种子

1cm

豆科 Fabaceae

绒毛皂荚

***Gleditsia japonica* var. *velutina* L. C. Li**

保护级别：一级

植株生活型
落叶乔木，高15~20m。

分　　布
产于湖南。生于海拔1000m处的山坡、开阔林中或路边。

经济价值
既可用材，又可观赏的珍贵树种；果荚富含胰皂素，可作丝绸及贵重家具的洗涤剂。

科研价值
中国特有植物，是豆科中较原始的种类，对研究豆科植物的系统发育具有重要价值。

濒危原因
分布区狭窄；生境破坏严重；过度砍伐；雌雄异株，荚果成熟后难以开裂，种子发芽率低，导致自身繁殖力弱，种群天然更新困难。

▶ 植株

花果期

花期4—6月，果期6—11月。

果实形态结构

荚果；带形，扁平；常不规则扭转或弯曲成镰刀状；灰黄色、棕色或棕黑色；长15~40cm，宽2~4cm；顶端具长5~15mm的喙，基部果颈长1.5~3.5（~5）cm。果皮革质，常具泡状隆起，密被黄棕色绒毛；成熟后不会开裂；内含种子多粒。

传播体类型

果实。

种子贮藏特性

正常型种子。在低温干燥条件下贮藏，寿命可达4年以上。

种子萌发特性

切破种皮，然后在25℃，12h/12h光照条件下，1%琼脂培养基上，萌发率可达100%。

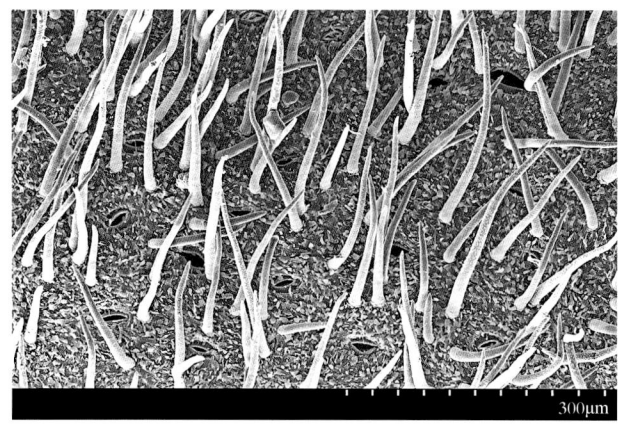

◀ 果实表皮毛 SEM 照

▶ 果实集

▶ 种子集

种子形态结构

种子：倒卵形，稍扁；黄棕色、棕色和褐色，有光泽，表面具一层白色薄蜡；长6.65~11.78mm，宽4.14~9.64mm，厚2.09~4.80mm，重0.1007~0.2375g。

种脐：近圆形；长0.18~0.29mm，宽0.18~0.24mm；稍凹；位于种子一侧的近基部。

种皮：黄棕色、棕色和褐色；角质；厚0.22~0.58mm。

胚乳：含量中等；白色，半透明；角质；厚0.96~1.18mm；包着胚。

胚：宽椭圆形；黄绿色、黄色或橙黄色；蜡质；长7.47~10.01mm，宽4.9~6.57mm。子叶2枚；宽椭圆形，扁平，基部抱茎状；黄色；长8.20~8.60mm，宽5.40~6.50mm，厚0.44~0.53mm；并合。胚芽舌状；长1.33~1.38mm，宽0.71~0.76mm；位于两子叶中间。胚根卵形；长2.01~2.92mm，宽1.29~1.91mm，厚1.35~1.60mm；位于两子叶基部中央的缺口处；朝向种脐。

▶ 种子的背面、腹面、侧面和基部

▶ 种子X光照

5mm

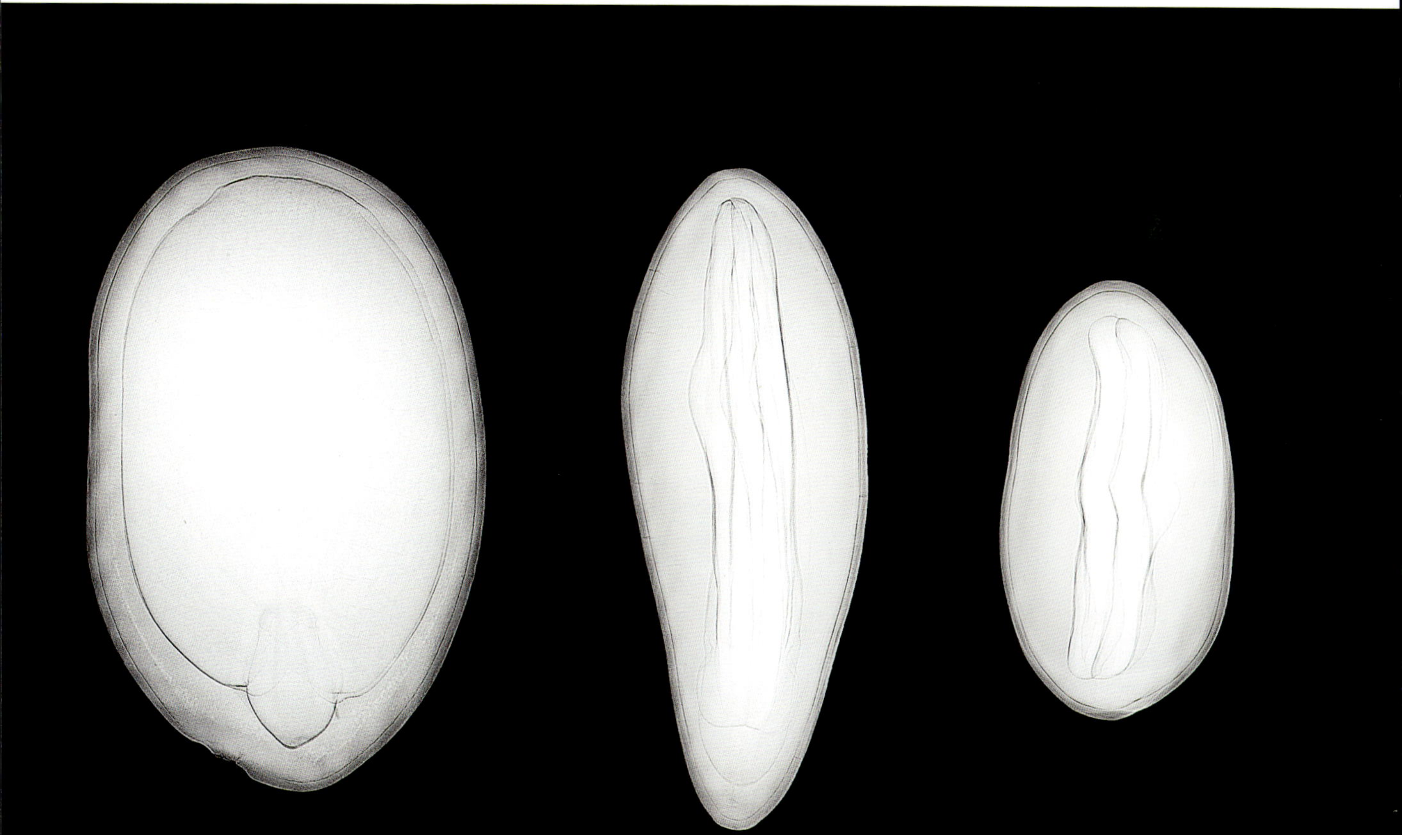

4mm

◀ 种子纵切面

2mm

◀ 种子横切面

▶ 胚

2mm

▶ 幼苗

1cm

豆科 Fabaceae

野大豆
Glycine soja Siebold & Zucc.

保护级别 二级

植株生活型
一年生缠绕草本，长1~4m。

分布
除海南、西藏、新疆外，全国广布。生于海拔150~2650m潮湿的田边、园边、沟旁、河岸、湖边、沼泽、草甸、沿海和岛屿向阳的矮灌木丛或芦苇丛中，稀生于沿河岸疏林下。此外，日本、俄罗斯、朝鲜半岛也有分布。

经济价值
可作牧草、绿肥和水土保持植物。此外，全草入药，具补气血、强壮、利尿等功效，能治疗盗汗、肝火、目疾、黄疸、小儿疳疾；茎皮纤维可织麻袋；种子含蛋白质30%~45%，油脂18%~22%，可供食用，制酱、酱油和豆腐等，也可榨油，油粕还是优良饲料和肥料。

科研价值
为栽培大豆的近缘种，具抗旱、耐旱、耐盐碱等众多突出优点，是大豆育种和品种改良的重要遗传资源。

濒危原因
生境破坏严重；个体竞争力弱，易受干扰。

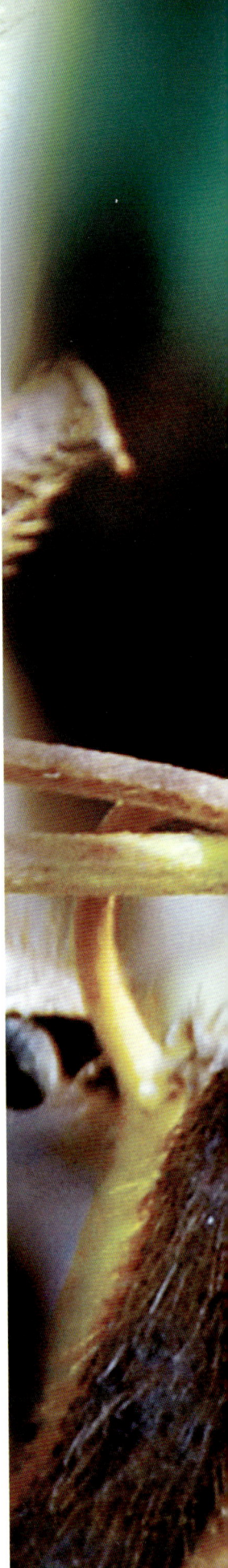

▶ 开裂果实

花果期
花期7—8月,果期8—10月。

果实形态结构
荚果;长椭圆形,两端尖,稍扁而略弯,呈镰刀状;表面密被黄色长硬毛;褐色;长17~23mm,宽4~5mm;成熟后开裂;内含种子2~4粒。

传播体类型
种子。

传播方式
自体传播。

种子贮藏特性
正常型种子。在低温干燥条件下贮藏,寿命可达15年以上。

种子萌发特性
具物理休眠。切破种皮,在20℃,12h/12h光照条件下,1%琼脂培养基上,萌发率可达100%。

▶ 未开裂果实

▶ 种子集

种子形态结构

种子：椭球形，稍扁；表面具疏密不等的棕色斑块、细网纹及一层薄蜡；棕褐色、灰褐色或黑色；长2.50~5.02mm，宽1.80~3.28mm。

种脐：椭圆形；黑色，中央具一条棕色、线状纵沟；长1.20~1.36mm，宽0.67mm；位于种子一侧的中下部。

种皮：黄棕色、棕色和褐色；角质；厚0.22~0.58mm。

胚乳：含量少，薄纸状；乳白色；蜡质，含油脂；包着胚。

胚：椭圆形；黄色；蜡质；长2.75~4.62mm，宽1.97~3.08mm，厚1.60~2.10mm；直生于种子中央。子叶2枚；椭圆形，平凸；长2.05~4.62mm，宽1.70~2.83mm，厚0.8~1.0mm；并合。下胚轴和胚根扁圆柱形，稍弯；长1.68~2.53mm，宽1.00~1.10mm，厚0.32~0.53mm；位于子叶一侧的中下部，与子叶缘倚；朝向种脐。

▶ 种子的背面、腹面、侧面和基部

▶ 种子 X 光照

2mm

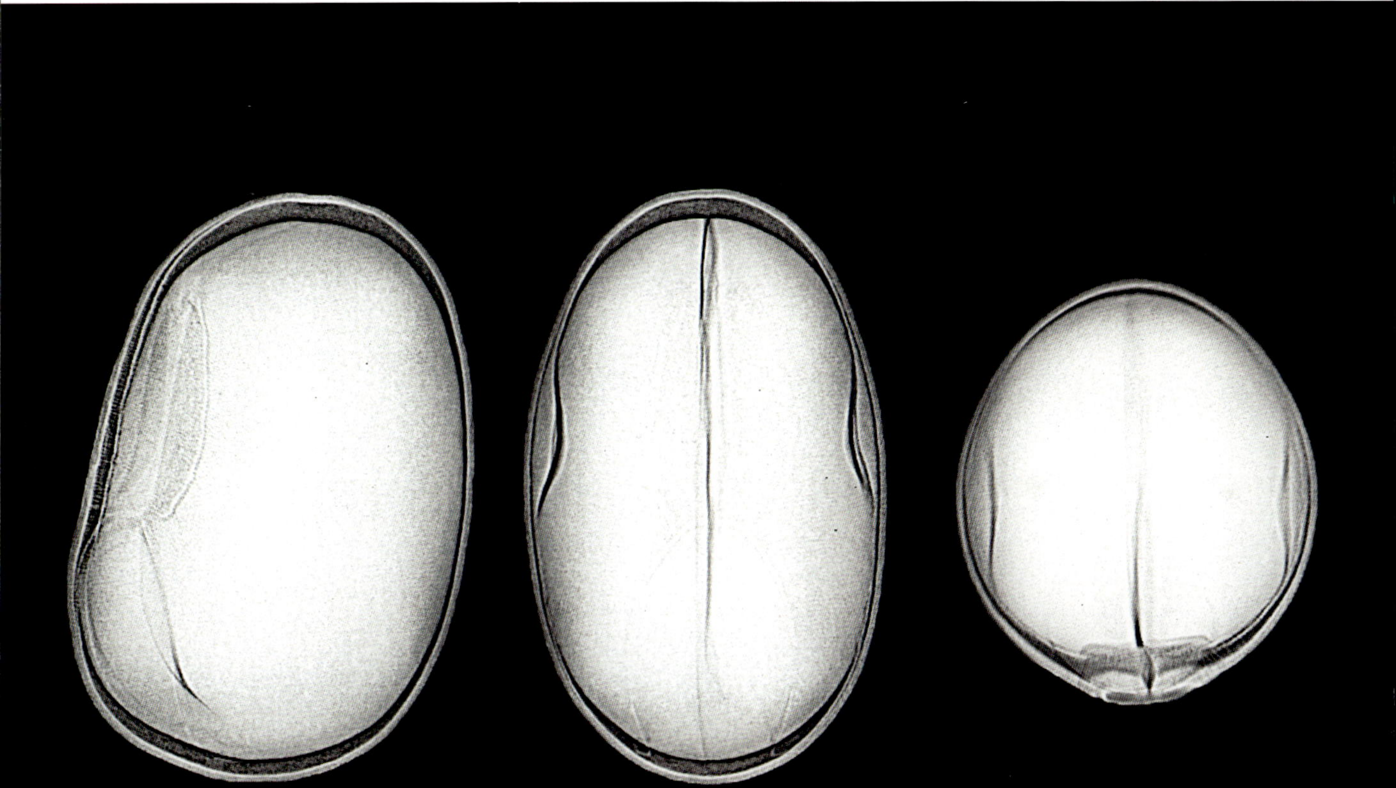

◀ 种子纵切面

1mm

◀ 种子横切面

1mm

▶ 胚正面

1mm

▶ 胚侧面

1mm

▶ 萌发中的种子

5mm

豆科 Fabaceae

肥荚红豆
***Ormosia fordiana* Oliv.**

植株生活型
乔木，高达17m，胸径20cm。

分　布
产于广东、海南、广西和云南。生于海拔100~1400m的山谷、山坡路旁、溪边杂木林中。此外，印度、柬埔寨、老挝、越南、缅甸、泰国、孟加拉国和菲律宾也有分布。

经济价值
用材树种；茎皮、根或叶可入药，具清热解毒、消肿止痛功效，能治疗急性热病、急性肝炎、风火牙痛、跌打肿痛、痈疮肿毒、烧烫伤。

濒危原因
生境破坏严重；过度砍伐；种子易丧失活力，种群天然更新困难。

保护级别 二级

▶ 植株

花果期
花期6—7月，果期9—11月。

果实形态结构
荚果；椭球形，稍扁，种子处突起；新鲜时为浅黄色，干后为棕褐色或褐色；长4.00~12.50cm，宽3.90~6.80cm；顶端具歪斜的喙，基部果颈长5.00~11.45mm，宽3.39~5.05mm。果瓣木质；厚1.68~5.86mm；外表面有毛或近无毛，内表面新鲜时为乳白色，干后为枯黄色，无隔膜；成熟后2瓣开裂，边缘反卷；内含种子1~4粒。

传播体类型
种子。

传播方式
动物传播。

种子贮藏特性
不耐干藏，宜随采随播或短期沙藏。

种子萌发特性
有休眠。用5%~10%的NaOH溶液浸泡种子1h，或用始温50~80℃的水烫种，或湿沙层积处理有助于打破休眠；适宜的萌发培养基为MS（Read）+6-BA 0.5mg/L+NAA 0.1mg/L，萌发率可达100%。

▶ 果实

▶ 种子集

5cm

种子形态结构

种子：椭球形；表面具多条纵线纹；红色，有光泽；长2.50~3.98cm，宽1.70~3.45cm，厚1.38~2.41cm，重6.4829~15.7038g。

种脐：圆形或椭圆形；红色；长3.50~6.20mm，宽2.47~5.80mm；位于种子一侧的近基部；外面常附着黄红色、粗而短的种柄。

种皮：红色；新鲜时为革质，干后为壳质，脆；厚0.13~0.18mm。

胚乳：无。

胚：椭球形；黄色；半肉半蜡质，含油脂；长2.48~3.96cm，宽1.68~3.43cm，厚1.36~2.33cm；直生于种子中央。子叶2枚；倒卵形，平凸，表面具9~13条纵沟，长2.40~3.96cm，宽1.68~3.43cm，厚0.68~1.19cm；并合。胚芽横弯月形；乳白色；长1.40~1.70mm，宽3.10~3.60mm，厚1.50~2.20mm。胚根短四棱柱形；长1.70~3.50mm，宽2.80~3.75mm，厚1.30~2.20mm；夹于子叶基端中央；朝向种子基端。

▶ **种子的腹面、背面、侧面和基部**

▶ **种子 X 光照**

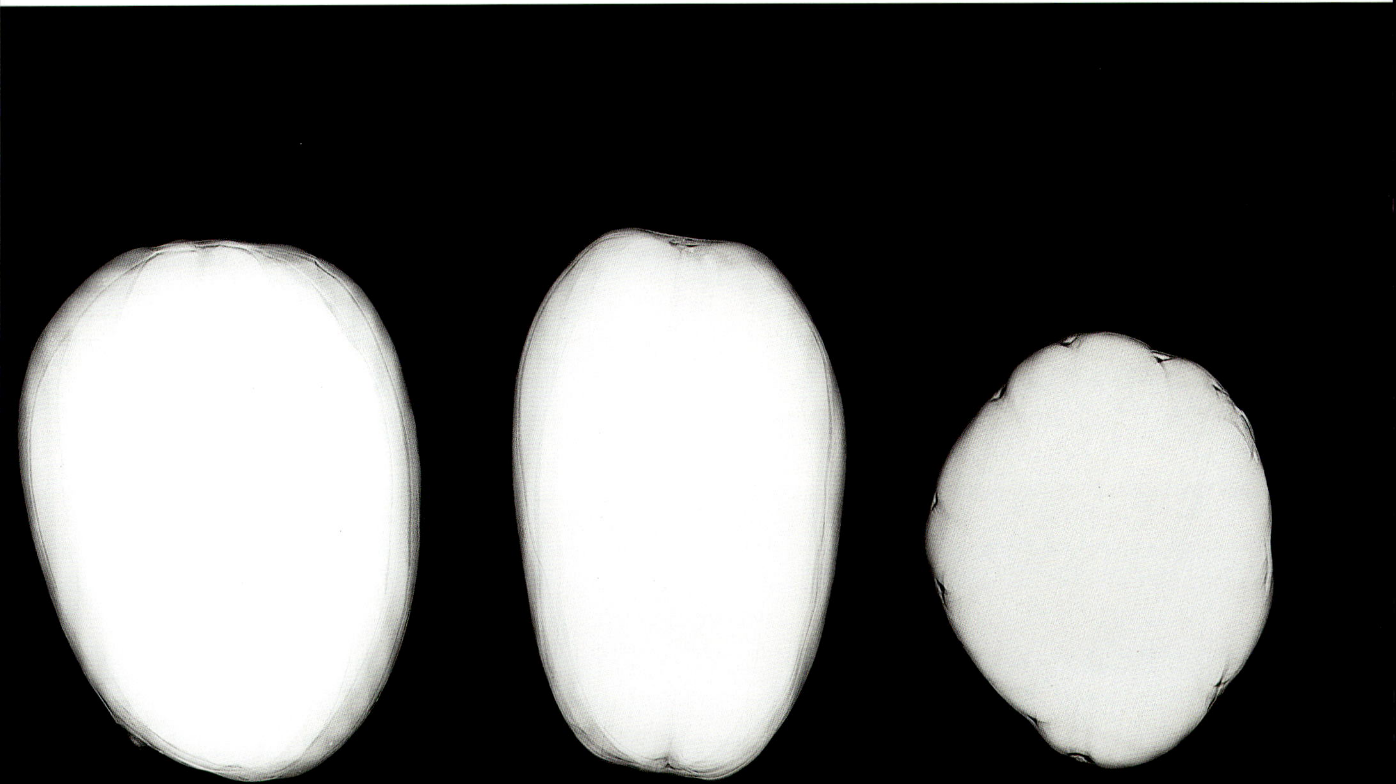

◀ 胚的背面、侧面和基部

1cm

◀ 种子横切面

1cm

▶ 种子纵切面

1cm

▶ 幼苗

1cm

豆科 Fabaceae

花榈木
Ormosia henryi **Prain**

植株生活型
常绿乔木，高16m，胸径达40cm。

分　　布
产于浙江、安徽、福建、江西、湖北、湖南、广东、广西、海南、四川、重庆、贵州和云南。生于海拔100~1300m的山坡、溪谷两旁杂木林中。此外，越南和泰国也有分布。

经济价值
珍贵用材、绿化和防火树种；根、根皮、茎和叶可入药，有活血化瘀、祛风消肿功效。

濒危原因
生境破坏严重；过度砍伐。

保护级别 二级

▶ 植株

花果期
花期7—8月，果期10—11月。

果实形态结构
荚果；长椭圆形或长圆形，扁平；顶端具喙，基部果颈长约5mm；棕褐色至褐色；长5.77~12.00cm，宽2.09~2.65cm。果皮革质，无毛；内壁有横隔膜；厚1.37~2.63mm；成熟后2瓣开裂；内含种子4~8（稀1~2）粒。

传播体类型
种子。

传播方式
动物传播。

种子贮藏特性
正常型种子。低温干燥条件能有效延长其寿命。

种子萌发特性
切破种皮，然后在25℃，12h/12h光照条件下，1%琼脂培养基上，萌发率可达100%。

◀ 果枝

▶ 开裂果实

▶ 种子集

种子形态结构

种子： 近椭圆形或卵形，基部斜截；表面具一层白色薄蜡；红色，有光泽；长8.08~11.39mm，宽5.76~8.61mm，厚4.35~5.45mm，重0.1571~0.2788g。

种脐： 椭圆形；中央具一条纵沟；白色；长2.27~3.75mm，宽0.90~1.48mm；位于种子基部斜截处。

种皮： 红色；壳质；厚0.16~0.39mm；紧贴胚乳。

胚乳： 无。

胚： 椭圆形；乳白色或黄白色；蜡质，含油脂；长7.97~9.72mm，宽5.22~8.09mm，厚4.10~4.20mm；直生于种子中央。子叶2枚；卵形，平凸；长7.97~9.20mm，宽5.22~7.80mm，厚2.05mm。胚根短圆柱状；长0.67~0.80mm，宽0.73~0.83mm，厚1.50~1.67mm；包于两子叶中间；朝向种脐。

▶ 种子的背面、侧面和基部

▶ 种子 X 光照

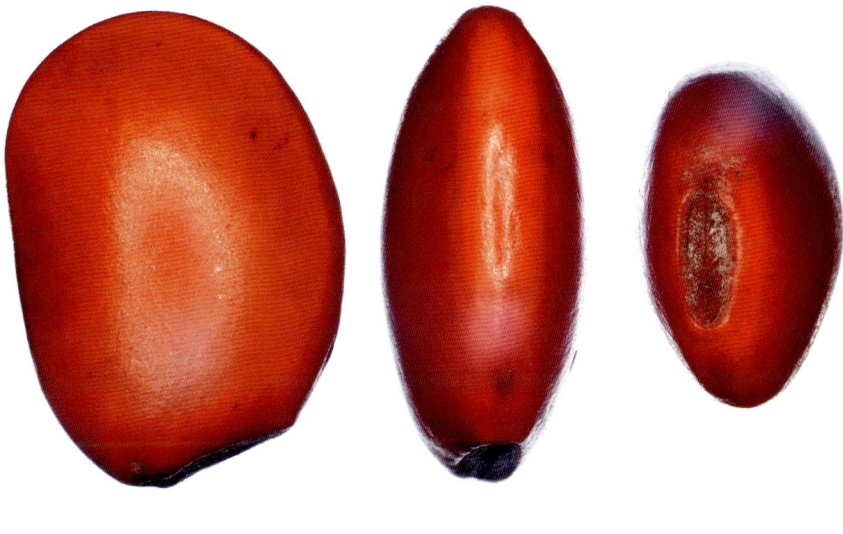

5mm

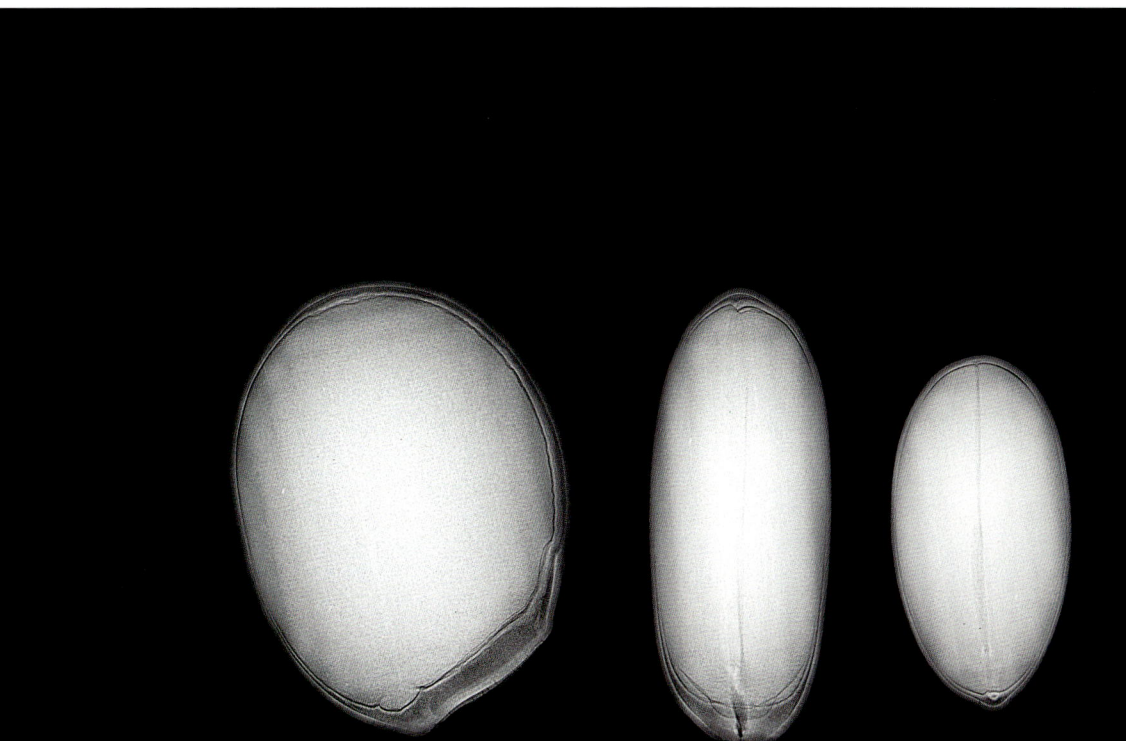

◀ 种子纵切面

4mm

◀ 种子横切面

2mm

▶ 胚

2mm

豆科 Fabaceae

红豆树

Ormosia hosiei Hemsl. & E. H. Wilson

保护级别 二级

植株生活型
常绿或落叶乔木，高20~30m，胸径1m。

分　　布
产于陕西、甘肃、江苏、安徽、浙江、江西、福建、湖北、湖南、广西、重庆、四川、贵州和云南。生于海拔200~900（~1350）m的河旁、山坡、山谷林内。

经济价值
材质优良，是木雕工艺及高级家具用材；根与种子可入药。此外，还是优良的园林绿化树种。

科研价值
中国特有植物，对研究中国植物区系的起源与演化具有重要价值。

濒危原因
过度砍伐。

▶ 植株

花果期
花期3—5月，果期10—11月。

果实形态结构
荚果；卵形或近球形，稍扁；顶端具短喙，基部具长5~8mm的果颈；长3.3~4.8cm，宽2.3~3.5cm。果瓣革质；新鲜时为黄色，干后为褐色；厚2~3mm；内含种子1~2粒。

传播体类型
种子。

传播方式
动物传播。

种子贮藏特性
正常型种子。低温干燥条件能有效延长其寿命。

种子萌发特性
具物理休眠。

▶ 叶

▶ 种子集

4cm

种子形态结构

种子： 近椭球形、卵形或半球形，稍扁；红色，有光泽，表面具一薄层白蜡；长11.50~18.00mm，宽10.33~13.25mm，厚7.91~9.56mm，重0.9709~1.1970g。

种脐： 倒卵形；中央具脐沟，四周具乳白色的裙边状蜡质附属物；暗红色；长5.82~7.04mm，宽1.94~3.03mm；位于种子一侧的中下部。

种皮： 红色；壳质；厚0.18~0.42mm。

胚乳： 无。

胚： 椭球形、卵形或半球形；乳白色或黄色；蜡质；长11.41~18.66mm，宽10.90~11.94mm，厚8.36~9.25mm；直生于种子中央。子叶2枚；近圆形，平凸；乳白色或黄色；长14.48~17.46mm，宽10.00~10.90mm，厚4.33~4.63mm；并合。胚根短圆柱形；长1.49~2.00mm，宽1.19~1.64mm，厚2.39~3.28mm；朝向种脐。

▶ **种子的背面、腹面和侧面**

▶ **种子 X 光照**

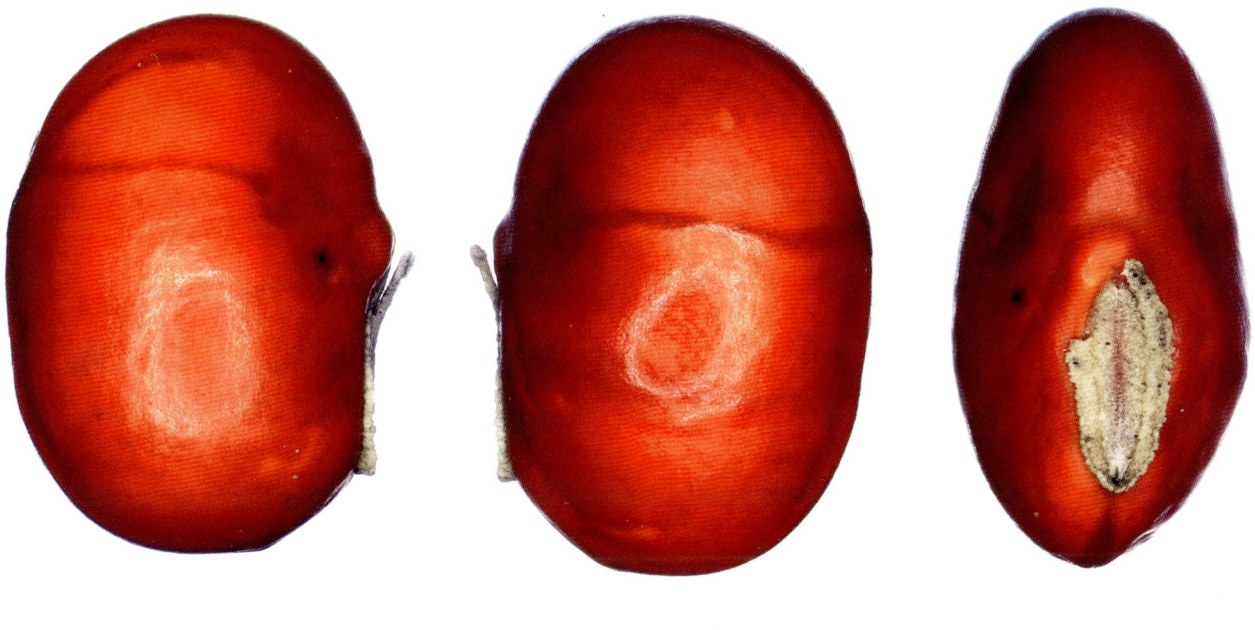

1cm

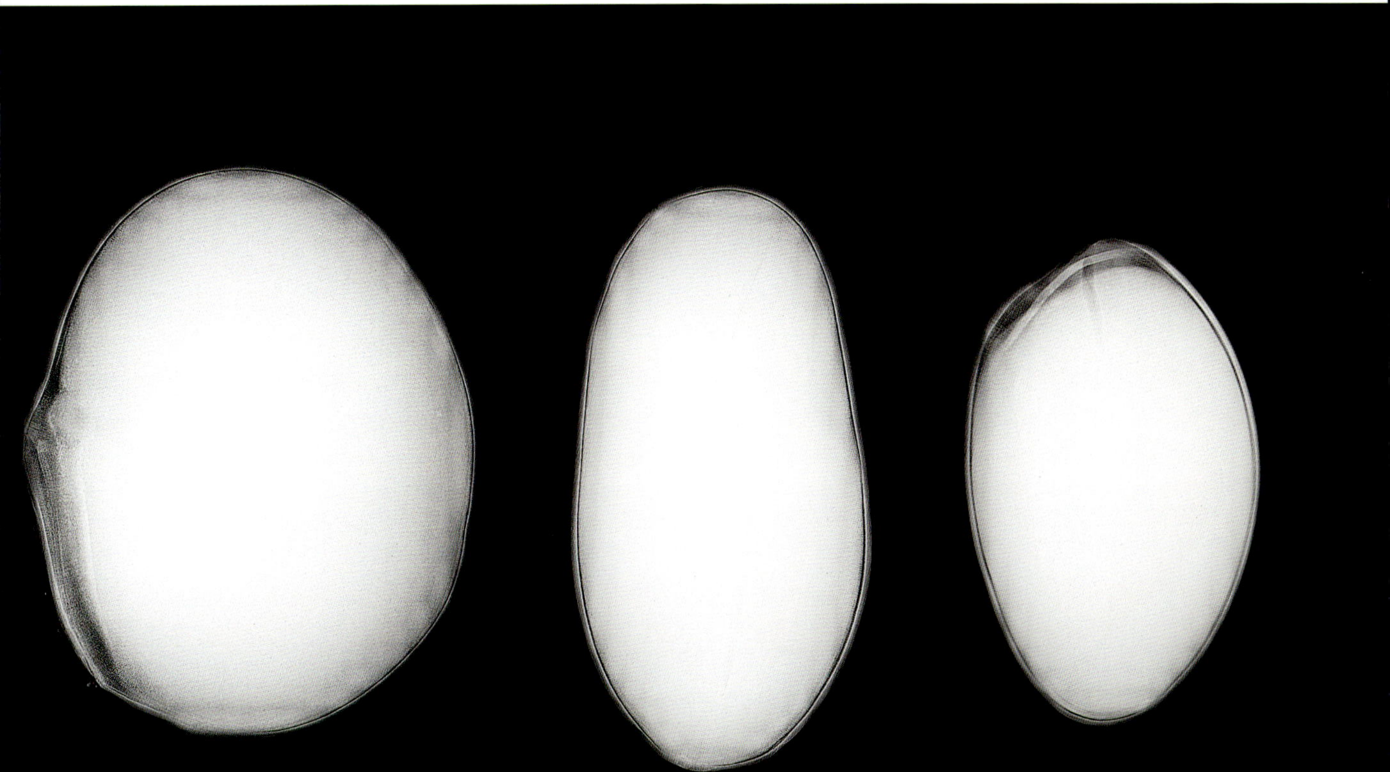

◀ 种子纵切面

5mm

◀ 种子横切面

5mm

▶ 胚正面

5mm

▶ 胚侧面

5mm

豆科 Fabaceae

缘毛红豆
Ormosia howii Merr. & Chun ex Merr. & H. Y. Chen

保护级别 二级

植株生活型
常绿乔木，高达10m，胸径12cm。

分　　布
产于广东和海南。生于79~900m的山坡林中，散生，多见于花岗岩山地。

经济价值
优良的用材树种；种子红色，可做工艺品。

科研价值
中国特有植物，对于研究豆科（或蝶形花亚科）的系统发育、植物区系及植物群落学等具有重要价值。

濒危原因
过度砍伐。

▶ 叶

花果期
花期7—9月,果期10—12月。

果实形态结构
荚果;斜椭圆状卵形或卵状菱形,微扁;长2~2.5cm;顶端具长3~4mm的喙,基部果颈长3~4mm,花萼宿存,表面密被锈褐色毛。果瓣革质;浅黑褐色;幼果表面具褐色毛,成熟后秃净或在边缘被稀疏浅褐色长毛,内壁无横隔膜。成熟后两瓣裂,内含种子1~2粒。

传播体类型
种子。

传播方式
动物传播。

种子贮藏特性
正常型种子。低温干燥条件能有效延长其寿命。

种子萌发特性
切破种皮,有助于种子萌发。

▶ 种子集

1cm

种子形态结构

种子： 椭球形、近球形或半球形；表面具一层白色薄蜡；红色，有光泽；长4.44~8.38mm，宽5.44~6.81mm，厚4.68~6.16mm，重0.1250~0.2000g。

种脐： 椭圆形；黄棕色或棕褐色；长1.99~2.85mm，宽0.90~1.49mm；微凹；位于种子一侧的中下部。

种皮： 红色；革质；厚0.13~0.21mm。

胚乳： 无。

胚： 椭球形；橙黄色或黄色；长5.09~7.98mm，宽5.17~6.35mm，厚4.80~5.30mm；直生于种子中央。子叶2枚；椭圆形，平凸；橙黄色或黄色；长7.20~7.50mm，宽5.60mm，厚2.00~2.30mm；并合。胚根短圆柱形；长0.75~0.85mm，宽1.40~1.55mm，厚0.36~0.53mm；朝向种脐。

▶ **种子的背面、侧面和基部**

▶ **种子X光照**

5mm

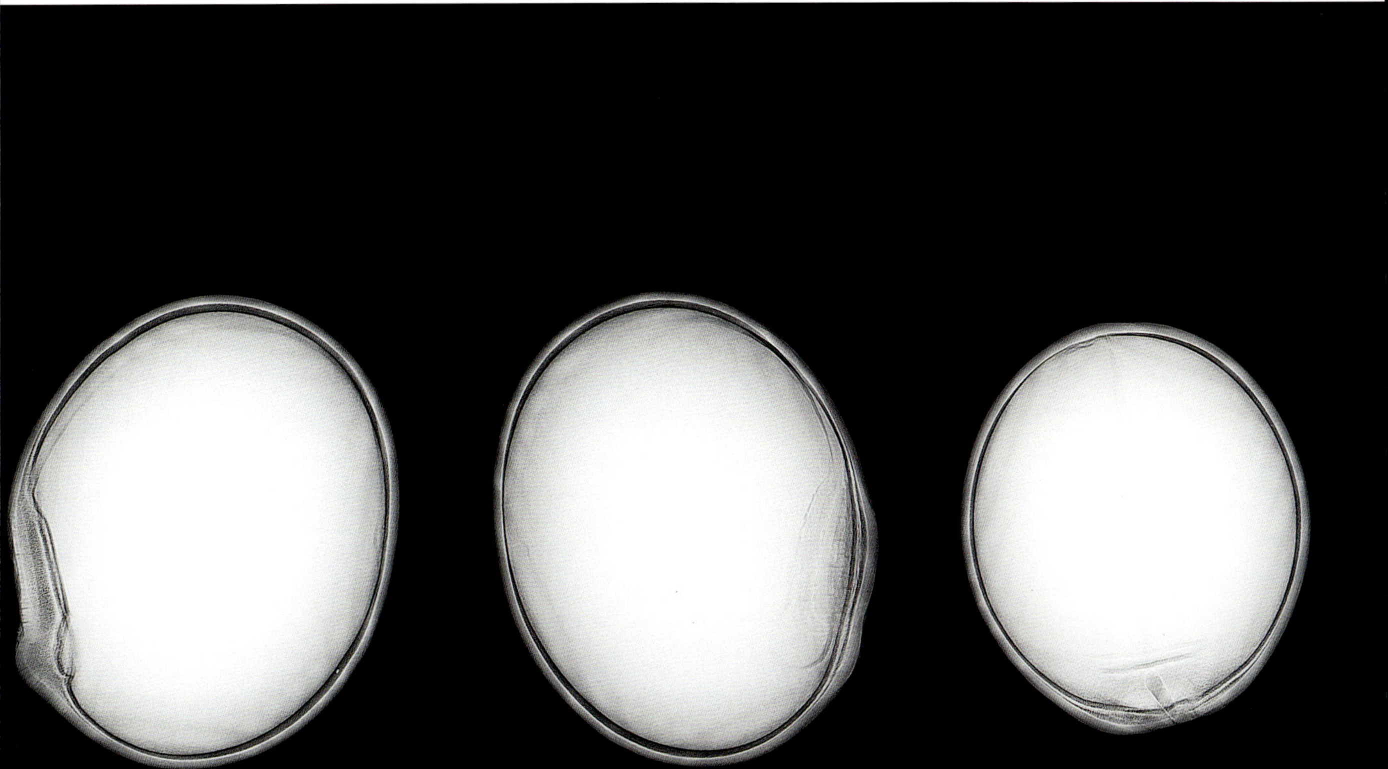

◀ 种子纵切面

2mm

◀ 种子横切面

2mm

▶ 胚背面

2mm

▶ 胚腹面

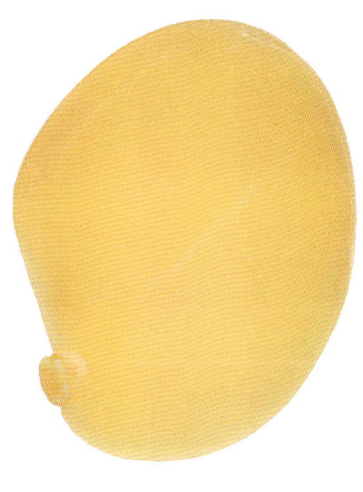

2mm

▶ 胚侧面

2mm

豆科 Fabaceae

雅砻江冬麻豆

Salweenia bouffordiana H. Sun, Z. M. Li & J. P. Yue

保护级别：二级

植株生活型
常绿灌木，高0.5~2m。

分　　布
产于四川。生于海拔2700~3600m的雅砻江干热河谷的干旱灌丛和砾石中。

经济价值
薪材和干热河谷绿化树种。

科研价值
古地中海和中国横断山区的特有子遗植物，对研究冬麻豆属的系统进化关系及探讨横断山区河流的水系变迁具有重要价值。

濒危原因
第四纪冰期影响；分布区狭窄；生境破坏严重；种群数量较少。

▶ 植株

花果期
花期8月，果期10—12月。

果实形态结构
荚果；带状长椭圆形；两头尖，扁平，种子间缢缩，表面被微绒毛；幼时绿色，成熟后为棕褐色；长5.1~6.5cm，宽0.6~0.9cm。果皮纸状革质；薄；成熟后两瓣开裂；内含种子2~7粒。下部果颈包于宿存的萼筒中。

传播体类型
种子。

传播方式
自体传播。

种子贮藏特性
正常型种子。

种子萌发特性
切破种皮，在20℃，12h/12h光照条件下，1%琼脂培养基上，萌发率可达100%。

◀ 花

▶ 果实

▶ 种子集

5mm

种子形态结构

种子：椭圆形或矩圆形，扁平；表面具一层白色薄蜡；黄棕色、黄蓝色或蓝黑色；长4.16~5.72mm，宽3.39~5.30mm，厚1.05~2.38mm，重0.0150~0.0302g。

种脐：圆形或椭圆形；白色或棕色；长0.31~0.44mm，宽0.29~0.38mm；凹；位于种子一侧的中下部凹缺处。

种皮：外种皮黄棕色、黄蓝色或蓝黑色；革质；厚0.07~0.11mm。内种皮黄棕色；膜质；紧贴胚乳。

胚乳：含量少，厚0.02mm；白色，透明；胶质；包着胚。

胚：卵形；黄色；蜡质，含油脂；长4.95~5.50mm，宽3.05~4.10mm，厚1.20~1.30mm；直生于种子中央。子叶2枚；椭圆形，稍扁；长4.55~5.07mm，宽3.05~3.88mm，厚0.50~1.00mm；并合。胚芽卵形；黄色；长0.24mm，宽0.20mm。下胚轴和胚根圆柱形；长2.50~4.03mm，宽0.86~1.00mm，厚0.85mm；位于种子中下部的一侧，与子叶缘倚；朝向种脐。

▶ 种子的腹面、背面、侧面和顶部

▶ 种子 X 光照

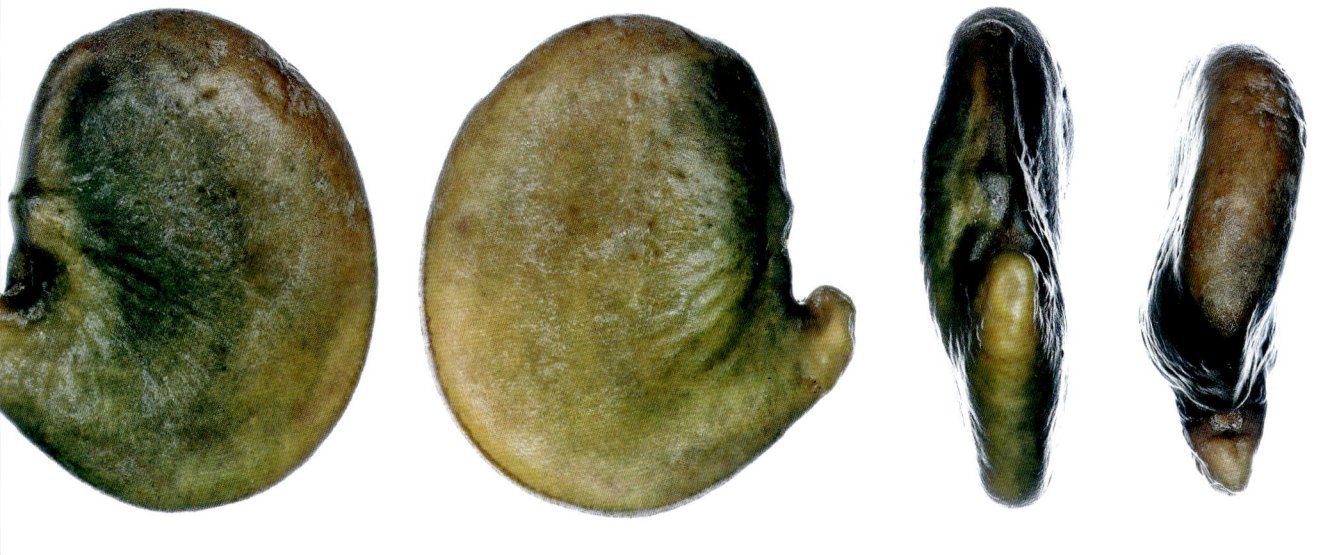

2mm

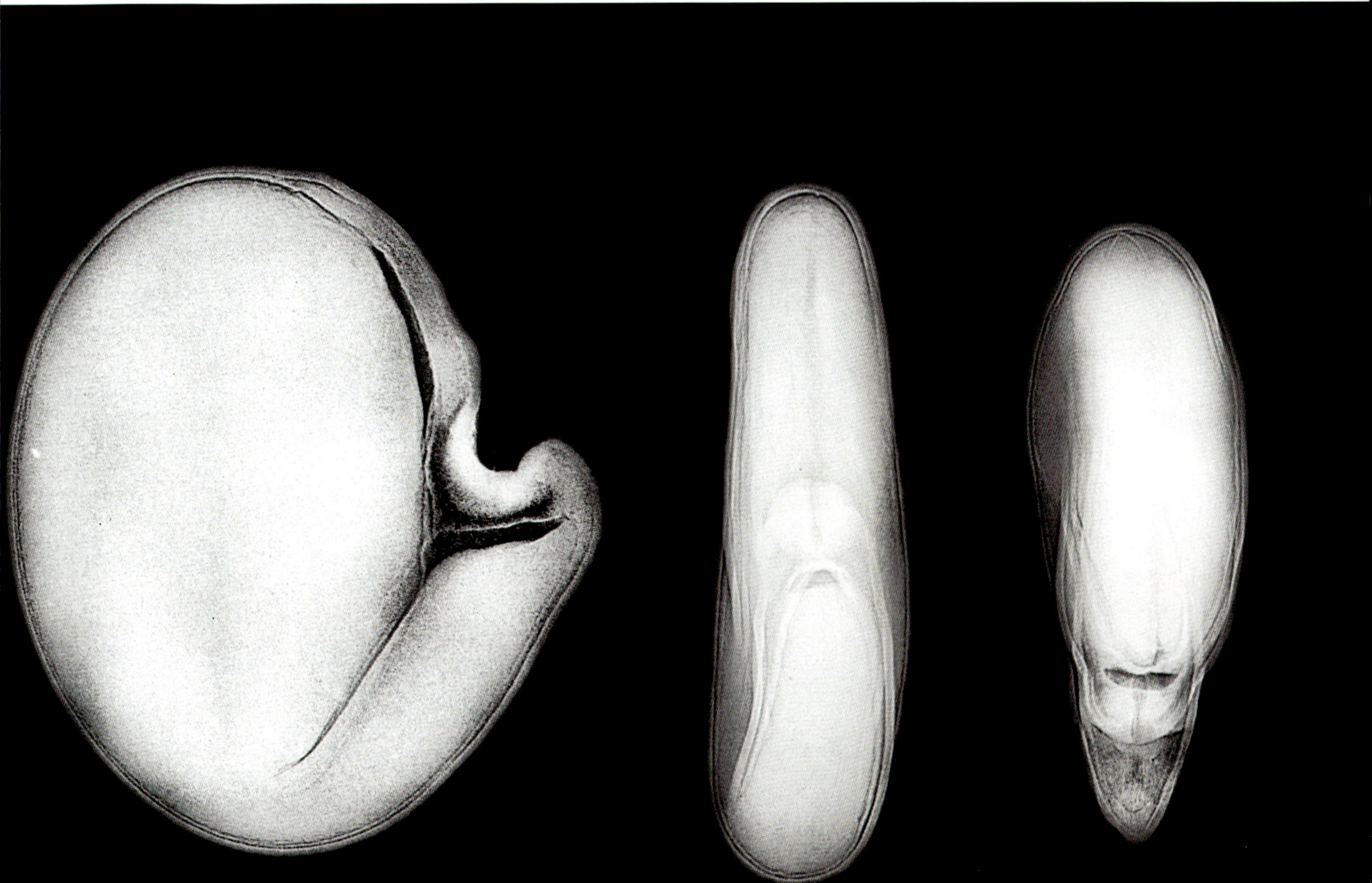

◀ 种子纵切面

2mm

◀ 种子横切面

1mm

▶ 胚的正面和侧面

2mm

▶ 萌发中的种子

5mm

豆科 Fabaceae

油楠

***Sindora glabra* Merr. ex de Wit**

植株生活型
常绿乔木，高8~20m，胸径30~60cm。

分　　布
产于福建、广东、海南和云南。生于海拔约800m的山坡、河边或混交林中。

经济价值
优良用材树种。此外，树脂可用于照明，种阜用于雕刻。

科研价值
中国特有植物，对研究中国植物区系的起源与演化具有重要价值。

濒危原因
分布区狭窄；生境破坏严重；过度砍伐。

保护级别 二级

▶ 植株

花果期
花期4—6月，果期6—8月。

果实形态结构
荚果；圆形或椭圆形；顶端有喙；褐色或黑褐色；长4~8cm，宽4~5cm；外表面具有散生、长1.82~1.87mm、硬直的粗刺，受伤后常有树脂流出，干后形成白色、半透明的硬块。果皮木质；黑褐色；厚1.64~2.69mm；成熟后开裂；内含种子1~4粒。

传播体类型
种子。

传播方式
动物传播。

种子贮藏特性
正常型种子。低温干燥条件能有效延长其寿命。

种子萌发特性
具物理休眠。用低温热水浸泡或弱腐蚀性化学试剂处理可促进萌发。

▶ 开裂果实的基部、外表面和内表面

▶ 种子集

5cm

2cm

种子形态结构

种子：宽椭球形，稍扁；表面具一层白色薄蜡；棕褐色或黑色；长16.13~20.75mm，宽12.94~18.21mm，厚6.73~11.46mm，重1.1289~2.2861g；基部具大种阜。种阜为三角形或矩圆形；橙黄色或黄色；干后角质，富含油脂；长8.59~15.91mm，宽10.58~18.80mm，厚5.76~8.08mm。

种脐：椭圆形；黑色；长7.14~11.04mm，宽5.22mm；位于种子基端。

种皮：棕褐色或黑色；骨质；厚0.54~0.73mm。

胚乳：无。

胚：椭圆形或矩圆形；黄白色；长17.12~19.51mm，宽14.47~16.66mm，厚8.96mm；直生于种子中央。子叶2枚；椭圆形或近圆形，平凸；长17.12~19.51mm，宽14.93~16.42mm，厚4.48mm；并合。胚芽圆锥形；长0.33mm，宽0.24mm。胚根倒卵形；长1.63~1.93mm，宽1.58~1.81mm。位于基部中央，包于子叶中；朝向种脐。

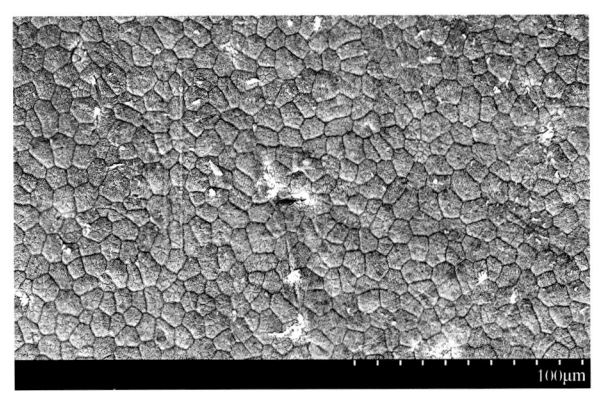

◀ 种阜表面 SEM 照

▶ 种子的背面、侧面和基部

▶ 种子 X 光照

1cm

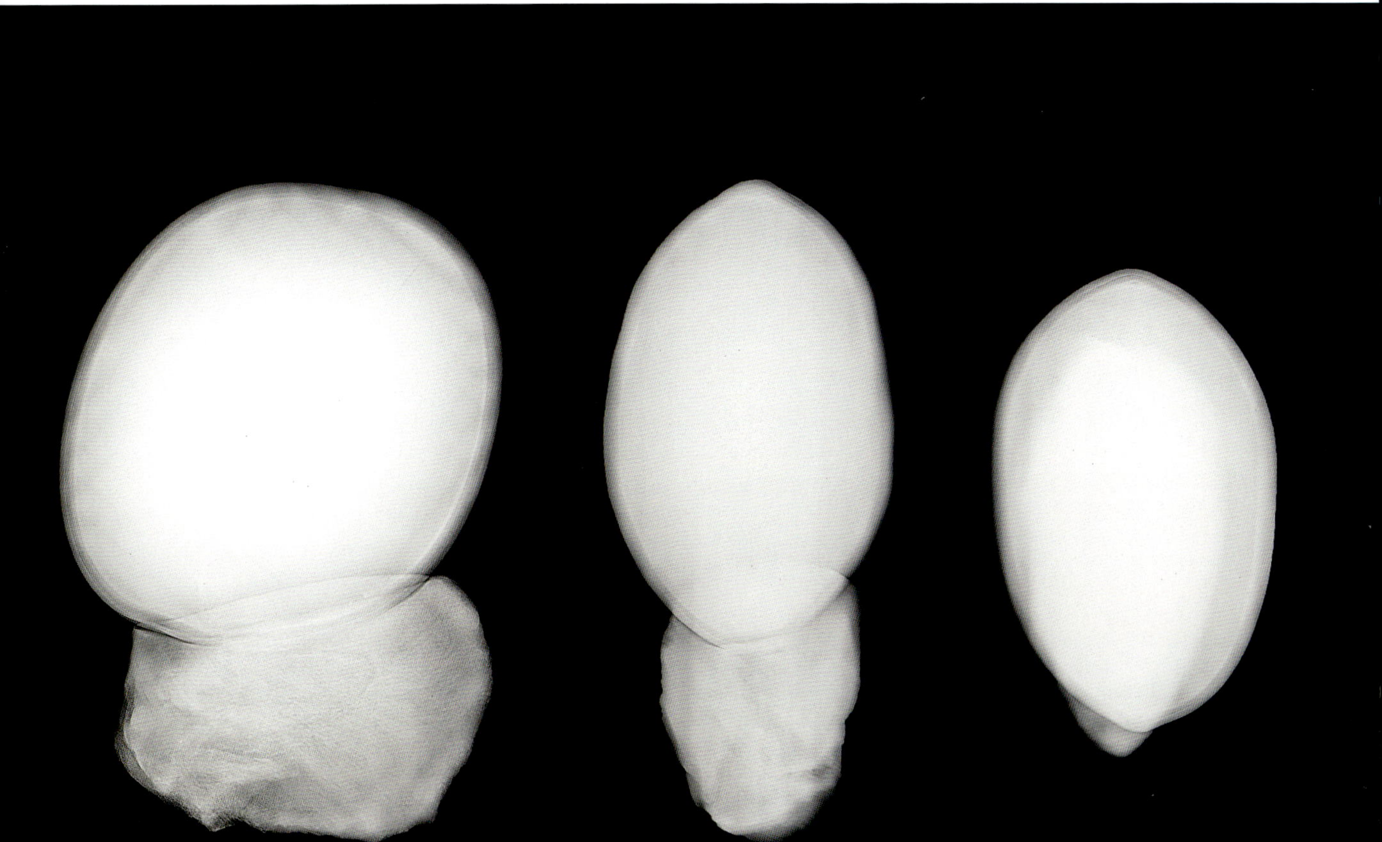

◀ 去除种阜的种子

5mm

◀ 种子横切面

5mm

▶ 种子纵切面

5mm

▶ 胚根和胚芽

1mm

蔷薇科 Rosaceae

光核桃
***Prunus mira* Koehne**

植株生活型
乔木，高达10m。

分　　布
产于四川、云南和西藏。生长于海拔2000~3400m的山坡杂木林中或山谷沟边。此外，尼泊尔也有分布。

经济价值
花朵色彩艳丽，花期长达20多天，具较高观赏价值；果实含糖量高，富含维生素C和其他营养成分，可生食和制成果脯；种仁可入药，具止咳功效；枝干可作桃的砧木。

科研价值
东亚特有植物，对研究中国植物区系的起源与演化具有重要价值。此外，其还是桃树育种的宝贵遗传材料。

濒危原因
分布区狭窄；过度砍挖；过度采摘果实。

保护级别 二级

▶ 植株

花果期
花期3—4月，果期8—9月。

果实形态结构
核果；近球形；表面密布黄棕色柔毛；黄色、橙黄色或红黄色；长2.22~2.72cm，宽1.62~2.19cm，厚1.17~1.78cm，重1.3582~2.1753g。外果皮黄色、橙黄色或红黄色；革质。中果皮黄白色；肉质。去除外果皮和中果皮后的果核为宽卵形或椭球形，稍扁；顶端尖，基部平截或稍偏斜，表面光滑或有数条不明显浅沟；棕色；长1.43~2.26mm，宽1.06~1.87cm，厚0.79~1.21cm，重0.5846~2.1968g。内果皮棕色；壳质；厚1.30~2.05mm。果皮成熟后不会开裂；内含种子1粒。基部果梗长4~5mm。

传播体类型
果实。

传播方式
动物传播。

种子贮藏特性
正常型种子。在低温干燥条件下贮藏，寿命可达12年以上。

种子萌发特性
在25℃/15℃或25℃/10℃，12h/12h光照条件下，1%琼脂培养基上，萌发率可达100%。

▶ 未成熟果实

▶ 成熟干果

种子形态结构

种子： 扁椭球形或卵形；表面密布颗粒状空泡，背腹面具多条浅纵沟，顶端具弯向一侧的短喙；黄棕色、棕色或棕褐色；长11.01~16.56mm，宽7.33~11.18mm，厚4.23~5.60mm，重0.1717~0.3982g。

种脐： 近圆形；棕色；长1.30~2.20mm，宽1.30~1.70mm；平或皱褶；位于种子基端。

种皮： 黄棕色、棕色或棕褐色；纸质；厚0.02~0.04mm；紧贴胚乳。

胚乳： 含量中等；厚0.22~0.40mm；表面具多条纵沟；乳白色；蜡质，含油脂；包着胚。

胚： 扁椭球形；乳白色；蜡质，富含油脂；长11.04~14.63mm，宽7.01~9.70mm，厚4.48~5.60mm；直生于种子中央。子叶2枚；宽倒卵形，平凸；长10.45~14.18mm，宽7.01~9.70mm，厚1.82~2.40mm；并合。胚芽卵形，长0.67~1.40mm，宽0.78~0.96mm；位于胚轴上部，夹于两子叶中间。下胚轴和胚根倒卵形或椭球形，平凸；长1.51~2.05mm，宽0.87~1.40mm，厚0.47~0.90mm；夹于两子叶下部凹缺处；朝向种脐。

▶ **果核的腹面、背面和侧面**

▶ **果核 X 光照**

5mm

◀ 种子

5mm

◀ 果核纵切面

5mm

◀ 果核横切面

5mm

▶ 胚

1mm

▶ 幼苗

1cm

胡颓子科 Elaeagnaceae

翅果油树
Elaeagnus mollis Diels

保护级别 二级

植株生活型
落叶乔木或灌木，高2~10m，胸径达8cm。

分　　布
产于山西和陕西。生于海拔700~1500m的阴坡和半阴坡，阳坡也有分布。

经济价值
既是木本油料植物、蜜源植物和用材树种，又是干旱地区营造水土保持林的优良树种，叶还是牛羊的好饲料，种子榨出的油可食用。

科研价值
中国特有植物和第三纪子遗植物，对研究胡颓子科植物的系统发育、古植物区系、古地理及第四纪冰期气候等具有重要价值。

濒危原因
分布区狭窄；生境破坏严重；过度砍伐；果实结实率较低，形态结构特殊，不利于传播和种子萌发，种子寿命短，幼苗缺乏竞争力，导致种群天然更新困难。

▶ 植株

花果期

花期4—5月，果期8—9月。

果实形态结构

瘦果；倒卵形；棕色或棕褐色；长10.08~14.51mm，宽5.25~7.62mm，厚4.03~6.57mm。外果皮为棕褐色；纸质；厚0.02~0.03mm。内果皮为棕色或棕褐色，有光泽；革质；厚0.17~0.49mm。果疤为宽椭圆形；黄色；长0.91~1.29mm，宽0.62~0.89mm；位于果实基端。整个瘦果包于黄白色、卵形或近球形的宿存萼筒中。萼筒形如宫灯，上部呈圆柱形，基部中央具柱状短柄；木质；厚0.27~0.82mm；外表面密被厚实的星状白绒毛，并具8条黄棕色或褐色的纵棱，内表面密布白色分叉的白色羽状丝毛；长1.24~2.86cm，宽0.82~1.99cm，厚0.93~1.67cm。带萼筒果实重0.4558~1.2146g。

传播体类型

带萼筒果实。

种子贮藏特性

不耐久藏。

种子萌发特性

具混合休眠。用20%PEG溶液浸种12h，流水冲泡24h，然后剥去中果皮，在25℃，12h/12h光照条件下，原生壤土与细沙混合（1∶1）的基质中，萌发率为60%。

◀ 果枝

▶ 带萼筒瘦果的背面、侧面、基部和顶部

▶ 带萼筒瘦果 X 光照

种子形态结构

种子： 卵形；黄棕色；长9.19~14.51mm，宽4.35~7.62mm，厚4.03~7.16mm。

种皮： 黄棕色；膜状胶质；厚0.02mm。

胚乳： 无。

胚： 椭圆形或倒卵形；乳白色或黄色；蜡质，富含油脂；长9.19~11.94mm，宽4.35~6.63mm，厚5.00~5.10mm；直生于种子中央。子叶2枚；椭圆形，平凸；长9.25~10.60mm，宽4.60~5.60mm，厚2.50~3.50mm；并合。胚芽卵形；乳白色；长0.91~1.00mm，宽0.73~0.78mm。胚根三棱锥或四棱锥形；长1.11~2.29mm，宽1.36~1.67mm，厚0.93~1.56mm；上部被子叶基部覆盖；朝向种子顶端。

◀ 萼筒表面的星状毛

▶ 果实的背面、侧面和顶部

▶ 果实X光照

5mm

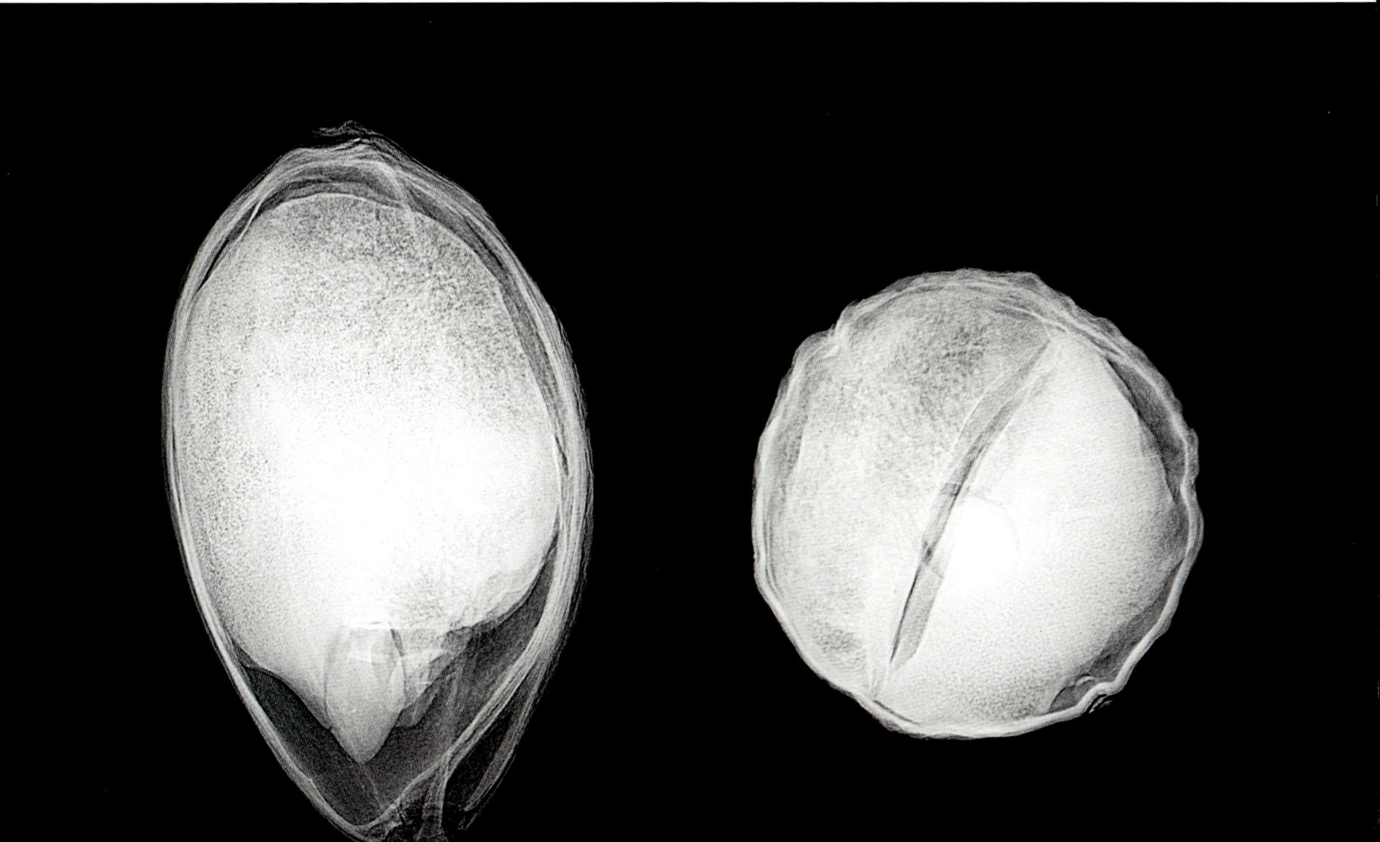

◀ 带内果皮的果实

2mm

◀ 种子

2mm

▶ 种子纵切面

2mm

▶ 种子基部

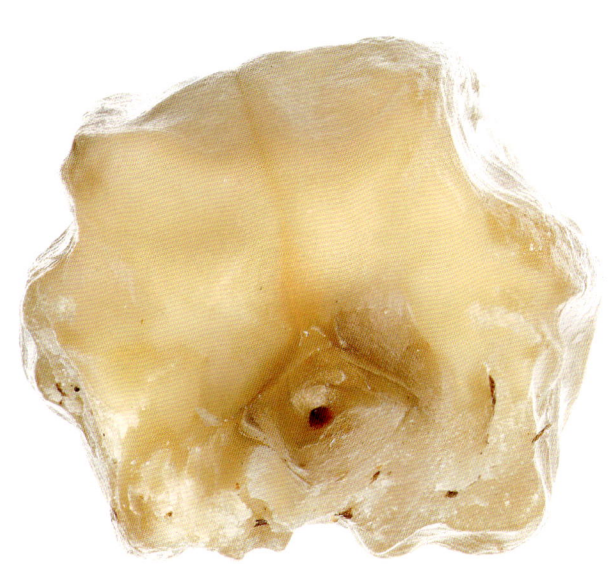

2mm

荨麻科 Urticaceae

光叶苎麻
***Boehmeria leiophylla* W. T. Wang**

保护级别 二级

植株生活型
灌木或小乔木，高1~5m。

分　　布
产于广西、西藏和云南。生于海拔100~1400m的亚热带森林中。

经济价值
内皮可作纺织原料；根可入药。

科研价值
中国特有植物，对研究中国植物区系的起源与演化具有重要价值。

濒危原因
分布区狭窄；生境破坏严重；过度采挖。

附注： 在*Flora of China*中，本种已处理为腋球苎麻*Boehmeria glomerulifera*。

▶ 植株

花果期
花期11月至翌年1月，果期2—4月。

果实形态结构
瘦果；倒卵形或宽倒卵形，有时偏斜；表面被白色或棕色糙毛，顶端具线状宿存花柱；棕褐色至褐色；长1.07~1.44mm，宽0.73~1.07mm，厚0.53~0.73mm（去除花柱）；基部包于棕褐色、外表面被白色糙毛、顶端流苏状的宿存花被筒中。外果皮棕褐色至褐色；纸质；厚0.07~0.11mm。内果皮黄棕色或棕色；壳质；厚0.07~0.11mm；内含种子1粒。

传播体类型
果序或果实。

◀ 果枝

▶ 果实的背面、腹面和侧面

▶ 果实 X 光照

1mm

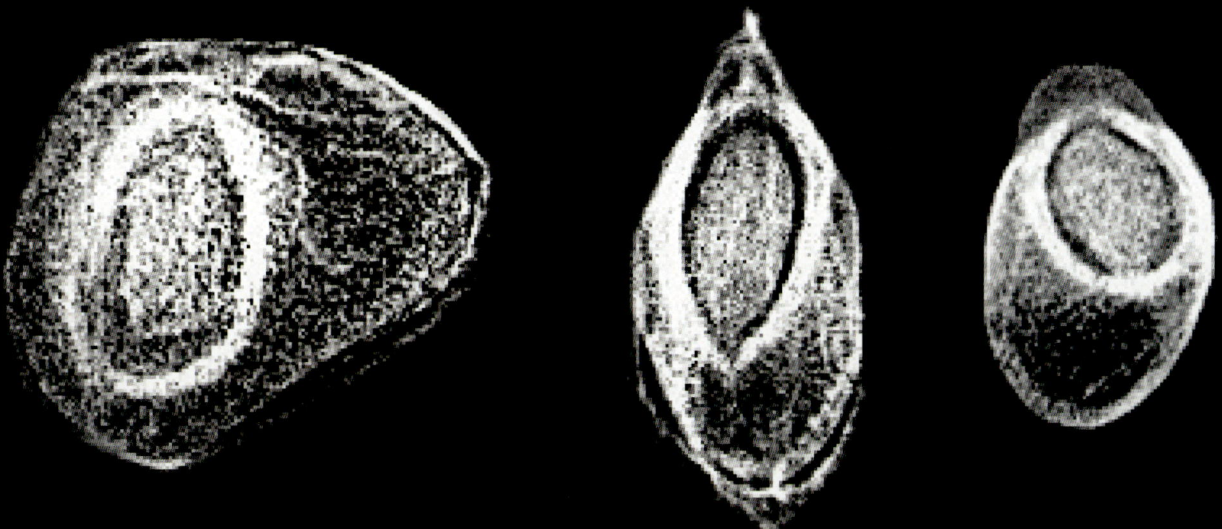

种子形态结构

种子：倒卵形，有时偏斜；表面光滑；黄棕色或棕色；长0.87~1.20mm，宽0.67~1.07mm，厚0.47~0.70mm，重0.1618mg。

种脐：位于种子基端。

种皮：外种皮黄棕色或棕色；壳质；厚0.07~0.11mm。内种皮黄色或黄棕色；膜状胶质；紧贴胚乳。

胚乳：含量少；乳白色；肉质，含油脂；包着胚。

胚：椭圆形；乳白色；肉质，含油脂；长0.46~0.58mm，宽0.24~0.36mm，厚0.13~0.18mm；直生于种子中央。子叶2枚；椭圆形或倒卵形，扁平；长0.33~0.47mm，宽0.27~0.29mm，厚0.07mm；并合。胚根短圆柱形；长0.11~0.13mm，宽0.13~0.18mm，厚0.13mm；朝向种子顶端。

▶ 带内果皮的果实集

▶ 带内果皮的果实的背面、侧面、基部和顶部

◀ 果实纵切面

400μm

◀ 果实横切面

400μm

▶ 带内种皮的种子

200μm

▶ 胚侧面

200μm

壳斗科 Fagaceae

三棱栎
Formanodendron doichangensis (A. Camus) Nixon & Crepet

保护级别 二级

植株生活型
常绿乔木，高达21m。

分　　布
产于云南。生于海拔1000~1900m的常绿阔叶林中。此外，泰国也有分布。

经济价值
既可用材，又可作荒山造林的优良树种。

科研价值
单种属植物，为壳斗科中原始种类，是研究该科植物系统演化的关键类群，也是探讨大陆漂移及环境变迁的理想材料。

濒危原因
分布区狭窄；生境破坏严重；过度砍伐；种子结实率低，种子易丧失活力，幼苗缺乏竞争力，导致种群天然更新困难。

▶ 植株

花果期
花期11月，果期翌年3—4月。

果实形态结构
坚果；三角状卵形，顶端渐尖，稍扁；背腹面中央各具一纵脊，脊两侧有棱状网脉，表面被稀疏短糙毛，顶部具宿存花柱，基部具宿存花萼；幼时绿色，成熟后为黄色、棕色或棕褐色；长2.50~4.45mm，宽3.16~3.86mm，厚2.85~3.75mm，重0.0130~0.0246g。果皮表层为黄色、棕色或棕褐色，中层为黄白色，内层为棕色；壳质；厚0.09~0.16mm；成熟后不会开裂；内含种子1粒。果疤圆形；褐色；长0.42~0.67mm，宽0.36~0.64mm。

传播体类型
果实。

传播方式
风力传播。

种子贮藏特性
正常型种子。

种子萌发特性
在25℃±1℃，8h/16h光照，一层薄棉花和滤纸的培养条件下，萌发率为92%。

▶ 果枝

▶ 果实集

种子形态结构

种子：卵状三棱形，顶端尖；黄棕色、棕色或棕褐色；长2.67~5.43mm，宽1.50~3.85mm，厚1.60~2.40mm。

种脐：椭圆形；黑色；长0.44~0.47mm，宽0.33~0.38mm；位于种子基端。

种皮：黄棕色、棕色或棕褐色；膜状胶质；紧贴胚乳。

胚乳：含量中等；乳白色；蜡质，含油脂；包着胚。

胚：卵形；乳白色；蜡质，含油脂；长2.88~4.05mm，宽0.63~1.65mm，厚0.40~0.48mm；直生于种子中央。子叶2枚；钝三角形，扁平，折叠成"人"字形；长3.50~3.55mm，厚0.20~0.24mm；并合。胚根三棱锥形；长0.49~1.04mm，宽0.42~0.47mm，厚0.31~0.33mm；朝向种子顶端。

▶ 果实的腹面、背面、基部和顶部

▶ 果实 X 光照

2mm

◀ 种子

2mm

◀ 种子横切面

500μm

▶ 种子纵切面

2mm

▶ 胚

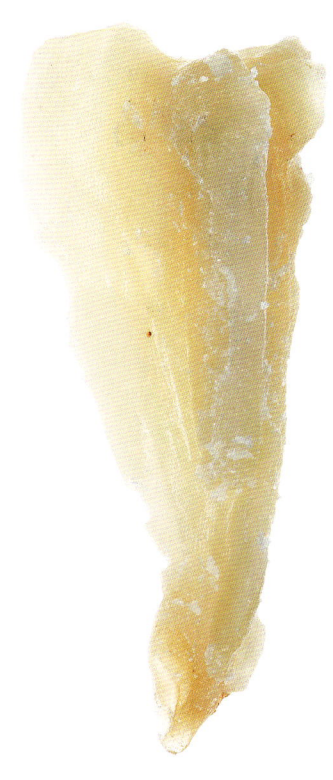

1mm

胡桃科 Juglandaceae

喙核桃

Annamocarya sinensis (Dode) J.-F. Leroy

保护级别 二级

植株生活型
落叶乔木，高10~15m。

分　　布
产于湖南、广西、贵州和云南。生于海拔500~2500m的沟谷、溪岸、沿河流两岸的混交林中。此外，越南也有分布。

经济价值
优良的用材树种。

濒危原因
过度砍伐；植株数量稀少，种子空瘪严重且易遭鼠害，导致种群天然更新困难。

▶ 植株

花果期

花期4—5月，果期8—11月。

果实形态结构

坚果；近球形或卵形；顶端具喙，表面有6~8条不明显的细纵棱；黄白色或黄棕色；包于表面具灰黄色皮孔、厚5~9mm、干后木质的黄褐色总苞内，整个呈核果状；长4.87~7.67cm，宽3.61~5.45cm，厚0.36~0.52cm，重9~13g。果皮骨质；厚3.50~5.00mm；内有木质隔膜；干后常不规则6~9瓣裂（有时由于总苞裂片愈合而成假的4瓣裂），裂瓣中央有1~2条纵肋；内含种子1粒。果疤圆形、斜方形或"一"字形；稍突起；长7.00~23.99mm，宽4.83~16.00mm。

传播体类型

果实。

传播方式

动物传播。

种子贮藏特性

顽拗型种子。忌失水，不耐低温，亦不耐久藏。

种子萌发特性

有休眠。新鲜种子在25℃/15℃，12h/12h光照条件下，1%琼脂培养基上，萌发率为93%。

▶ 带总苞果实

▶ 果实集

种子形态结构

种子：宽椭球形；表面具脑纹状皱褶；黄棕色；长2.73~4.60cm，宽2.29~5.10cm，厚3.30~4.60cm。

种皮：外表面新鲜时为黄棕色，干后为褐色；具泡沫状薄片。内表面为棕色或褐色；具网状维管束；壳质；厚0.07~0.11mm；紧贴胚。

胚乳：无。

胚：折叠成宽球形或球形；新鲜时为乳白色，暴露于空气中易氧化成黄白色，干后为褐色；蜡质，富含油脂；长2.29~4.60cm，宽2.29~5.10cm，厚3.30~4.60cm。子叶2枚；肥厚；表面具脑状纹饰和叶脉；宽7.20~10.10cm，厚3.00~7.00mm；通过隔膜互相分离；每一片子叶从中部深凹成两半，每半再向内弯折。胚根极短；三角形；长2.00~4.00mm，宽2.90~3.00mm；朝向种子顶端。

▶ 果实的腹面、背面、顶部和基部

▶ 果实 X 光照

2cm

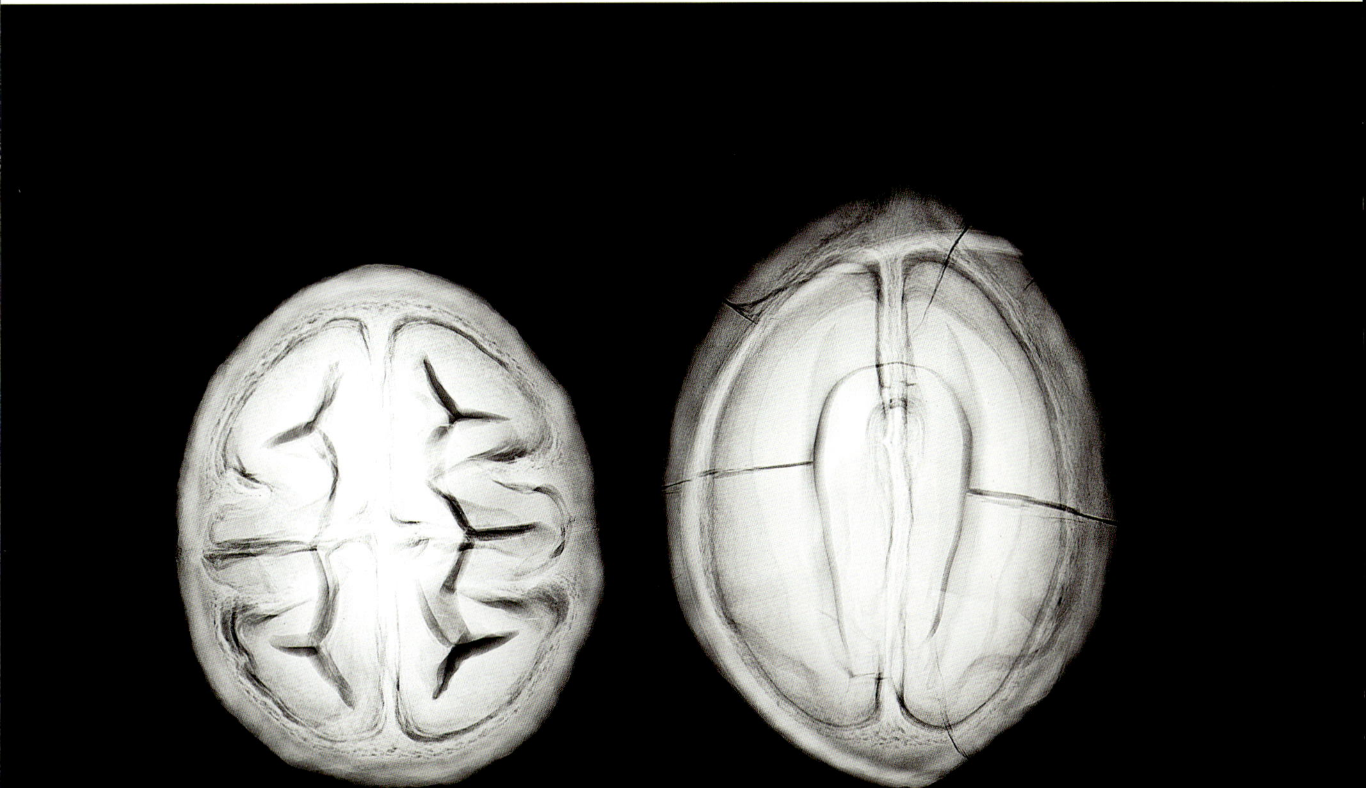

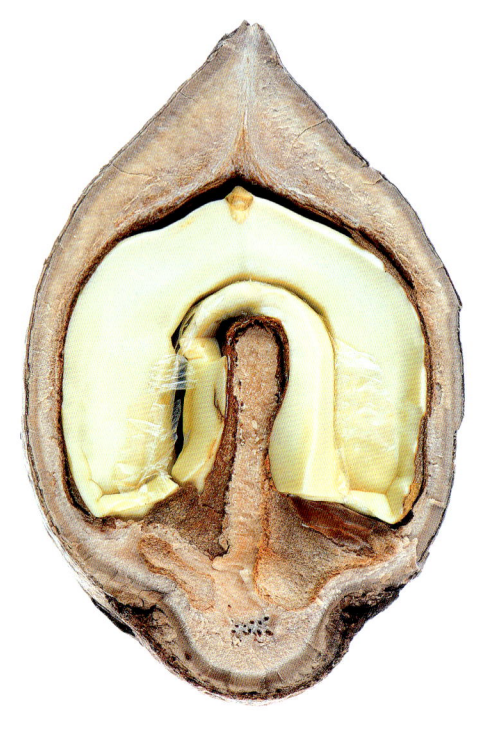

◀ 果实纵切面

2cm

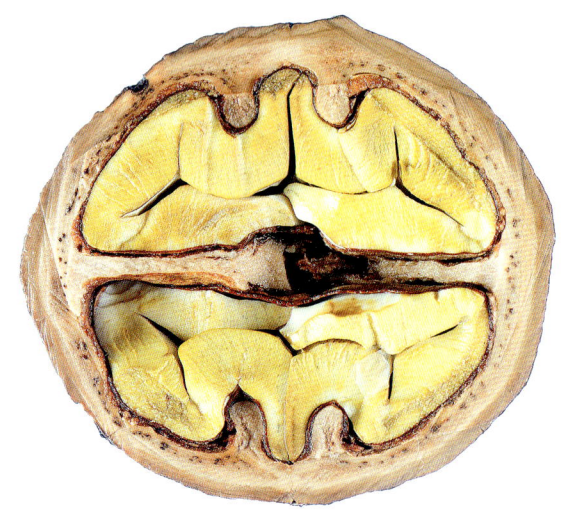

◀ 果实横切面

2cm

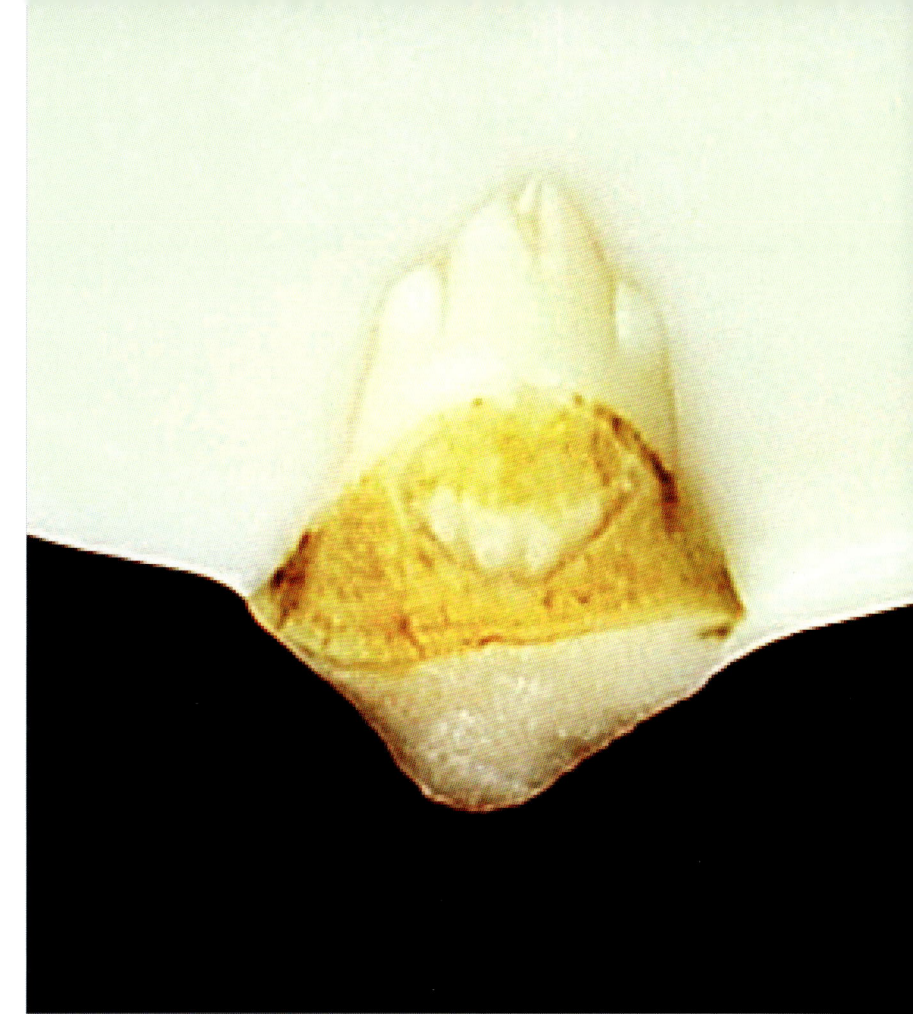

▶ 胚根与胚芽

▶ 幼苗

桦木科 Betulaceae

普陀鹅耳枥
Carpinus putoensis W. C. Cheng

保护级别 二级

植株生活型
落叶乔木，高达15m。

分　　布
产于浙江。生于山坡林中。

经济价值
既是用材树种，又是园林绿化树种，种子还可榨油，供食用和工业用。

科研价值
中国特有植物，对研究中国植物区系的起源与演化具有重要价值。

濒危原因
分布区狭窄；生境破坏严重；现仅存一株野生植株，自然种群过小，雌雄花序分布格局不合理，有效授粉期短，花粉活力低，导致种子空瘪严重，种群天然更新困难。

▶ 植株

花果期
花期4—7月，果期8—10月。

果实形态结构
小坚果；椭圆形或宽卵形；表面具多条纵棱；枯黄色、灰棕色或棕褐色；长3.68~5.90mm，宽3.70~5.48mm，厚2.31~4.40mm，重0.018~0.020g。果疤为横椭圆形；黄色；长2.15mm，宽1.25mm；生于叶状果苞基部。果皮骨质；厚0.40~0.60mm；成熟后不会开裂；内含种子1粒。果苞宽卵形，直或微呈镰形；外侧边缘具不规则的疏锯齿，内侧边缘则为全缘，内侧基部具一枚长约3mm、内折、卵形的小裂片，背面沿脉被短柔毛；长10.95~30.05mm，宽6.63~14.37mm，厚0.09~0.47mm。

传播体类型
带果苞果实。

传播方式
风力传播。

种子贮藏特性
不宜干藏，宜随采随播或短期沙藏。

种子萌发特性
有较深的物理休眠。低温层积有助于打破休眠。

▶ 果序

▶ 带果苞果实集

2cm

种子形态结构

种子： 宽卵形；棕褐色或褐色。

种皮： 棕褐色或褐色；纸质。

胚乳： 无。

胚： 椭圆形；蜡质、含油脂。子叶2枚；椭圆形，平凸；并合。胚根短圆柱形；朝向种子顶端。

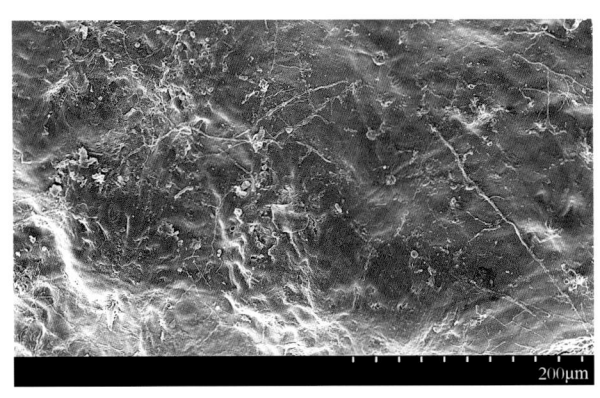

◀ 果苞表面 SEM 照

▶ 带果苞果实的腹面、背面和侧面

▶ 果实的背面、腹面、顶部和基部

5mm

2mm

四数木科 Tetramelaceae

四数木
***Tetrameles nudiflora* R. Br.**

植株生活型
落叶大乔木，高25~45m，具明显板根。

分　　布
产于云南。多生于海拔500~700m的石灰岩山地雨林或沟谷雨林中。此外，印度、孟加拉国、尼泊尔、不丹、柬埔寨、印度尼西亚、老挝、马来西亚、缅甸、巴布亚新几内亚、斯里兰卡、泰国、越南和澳大利亚也有分布。

经济价值
木材径级大，耐腐性强，但材质较次，适于作室内用材、轻型箱板和舢板等。

科研价值
为东南亚热带季雨林典型的上层树种，是热带季雨林的代表种和指示种之一，对研究云南省热带北缘的植物演替和热带雨林系统具有重要价值。

濒危原因
分布区狭窄；生境特殊；过度砍伐；种子空瘪严重，寿命短，森林郁闭度高，导致种群天然更新困难。

▶ 植株

保护级别 二级

花果期
花期3—4月，果期4—5月。

果实形态结构
蒴果；球形或椭球形，坛状；表面具8~10条脉，被稀疏的黄棕色或褐色腺点及白色短糙毛，顶端具4枚三角形花萼裂片；幼时绿色，成熟后为黄棕色或棕褐色；长4.10~6.20mm，宽2.40~3.60mm。果皮黄棕色或棕褐色；纸质；厚0.02~0.04mm；成熟后自顶端花柱间开裂；内含种子几十粒，但空瘪严重。

传播体类型
种子。

传播方式
风力传播。

种子贮藏特性
正常型种子。在低温干燥条件下贮藏，有助于延长其寿命。

种子萌发特性
无休眠。发芽适温在20℃以上。

◀ 花枝

▶ 果序

▶ 果实的背面、侧面和顶部

2mm

种子形态结构

种子： 形状不规则，为椭圆形、长卵形、矩圆形或三棱形；直或稍弯，扁平；两端具膜质宽翅，其中顶翅稍大，两侧具狭翅，等大或一侧稍大；黄棕色或棕色；长0.58~1.78mm，宽0.16~0.55mm，厚0.11~0.27mm。

种脐： 孔状；凹；位于种子基部或近基部。

种皮： 外种皮黄棕色或棕色；膜状胶质。内种皮黄棕色或棕色；膜状胶质；紧贴胚乳。

胚乳： 含量极少，薄膜状；无色，透明；胶质；包着胚。

胚： 大部分已分化，偶为未分化；椭圆形或扁圆柱形，稀球形；白色；肉质，含油脂；长0.18~0.62mm，宽0.18~0.31mm，厚0.12~0.20mm；直生于种子中央。子叶2枚；卵形，平凸；长0.27~0.29mm，宽0.18~0.29mm，厚0.07~0.11mm；并合。下胚轴和胚根倒卵形；长0.16~0.24mm，宽0.18~0.22mm，厚0.16~0.18mm；朝向种脐。

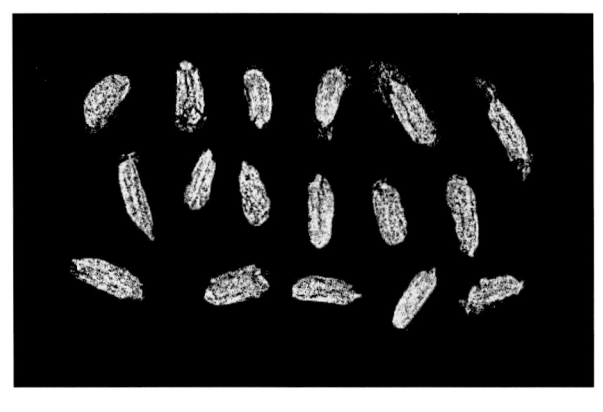

◀ 种子 X 光照

▶ 种子集

▶ 种子的腹面、背面和侧面

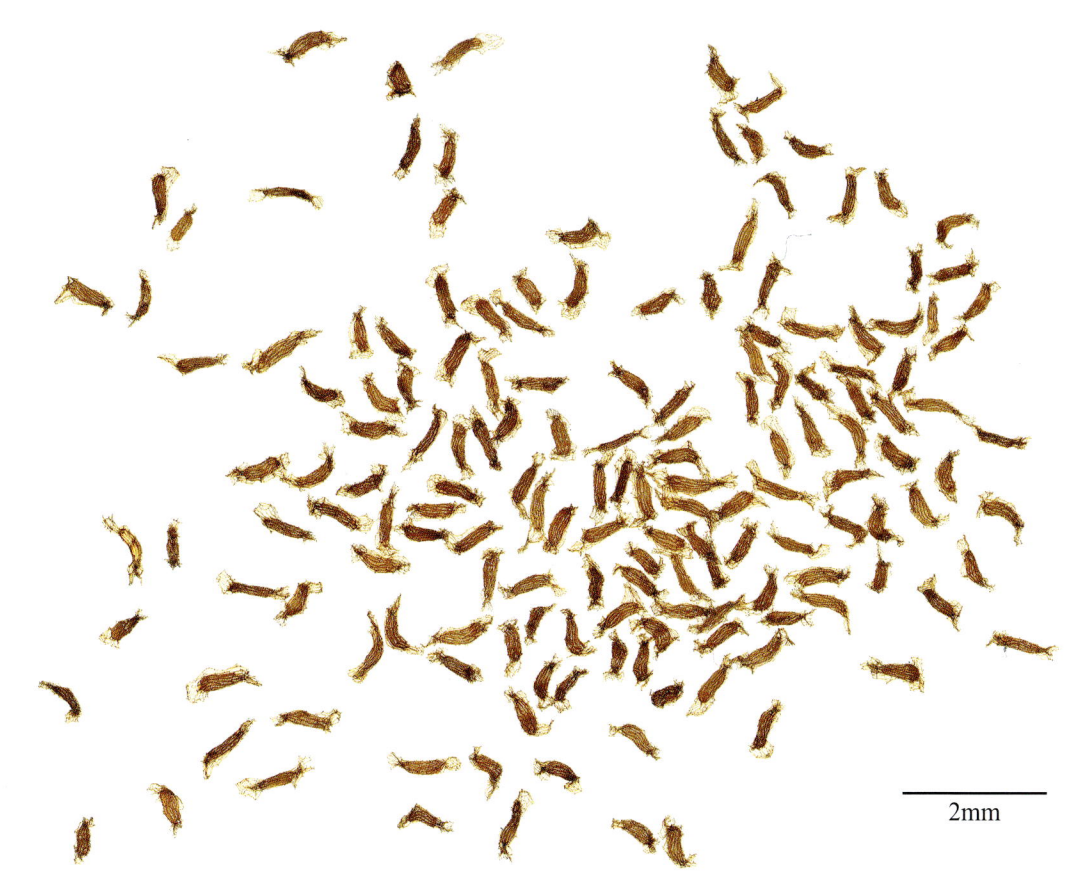
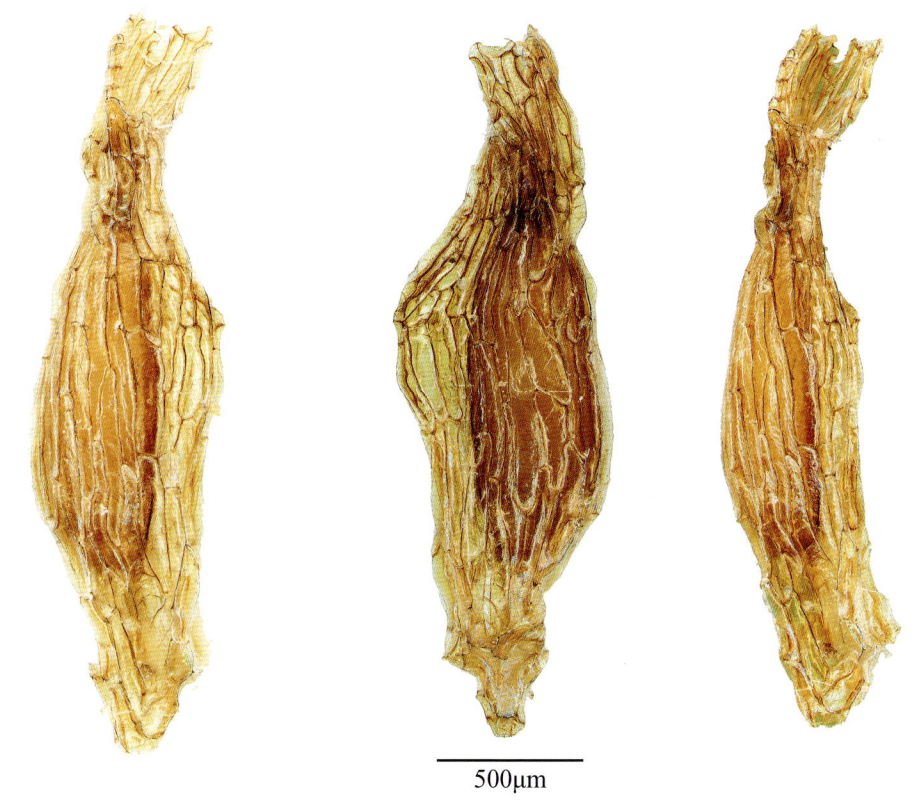

◀ 种子纵切面

200μm

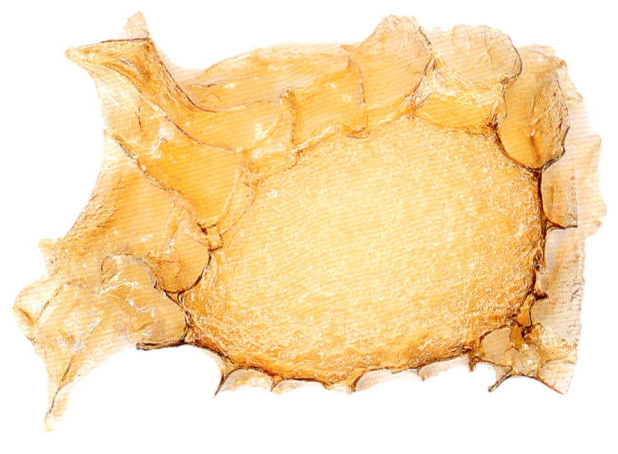

◀ 种子横切面

200μm

▶ 胚

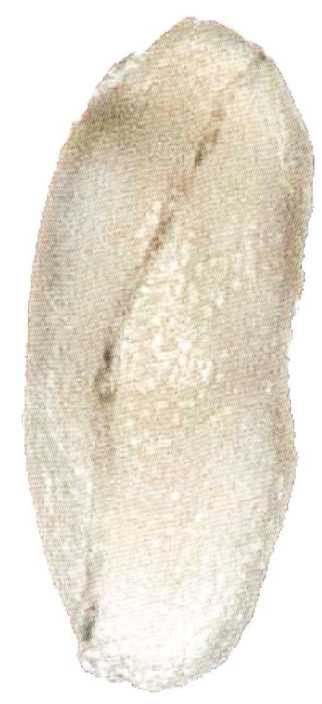

200μm

▶ 幼苗

1mm

秋海棠科 Begoniaceae

古林箐秋海棠
***Begonia gulinqingensis* S. H. Huang & Y. M. Shui**

保护级别 二级

植株生活型
匍匐草本。

分　　布
产于云南。生于海拔1730m的密林之下的草丛中。

经济价值
常绿草本，叶片青翠浓绿，花序中所含小花数量多，花色艳丽，且花期长，有幽香，具较高观赏价值。

科研价值
中国特有种，对研究中国植物区系的起源与演化具有重要价值。

濒危原因
分布区狭窄；生境破坏严重；过度采挖；种子空瘪严重，导致种群天然更新困难。

▶ 花

花果期

花期6月，果期7月开始。

果实形态结构

蒴果；倒三角形；具三翅，一大两小，每面中央具一线棱，顶部具宿存花柱；绿棕色或灰白色；长10.45~11.49mm，宽8.96~14.48mm。果皮棕色或灰白色；纸质；厚0.02~0.04mm。成熟后开裂；内含种子几千粒，但空瘪严重。果梗圆柱形；被疏短毛；长6~10mm，宽0.6mm，厚0.5mm。

传播体类型

种子。

传播方式

风力传播。

种子贮藏特性

正常型种子。在低温干燥条件下贮藏，有助于延长其寿命。

种子萌发特性

发芽适温为20~25℃。

◀ 植株

▶ 果实集

▶ 果实的背面、腹面和基部

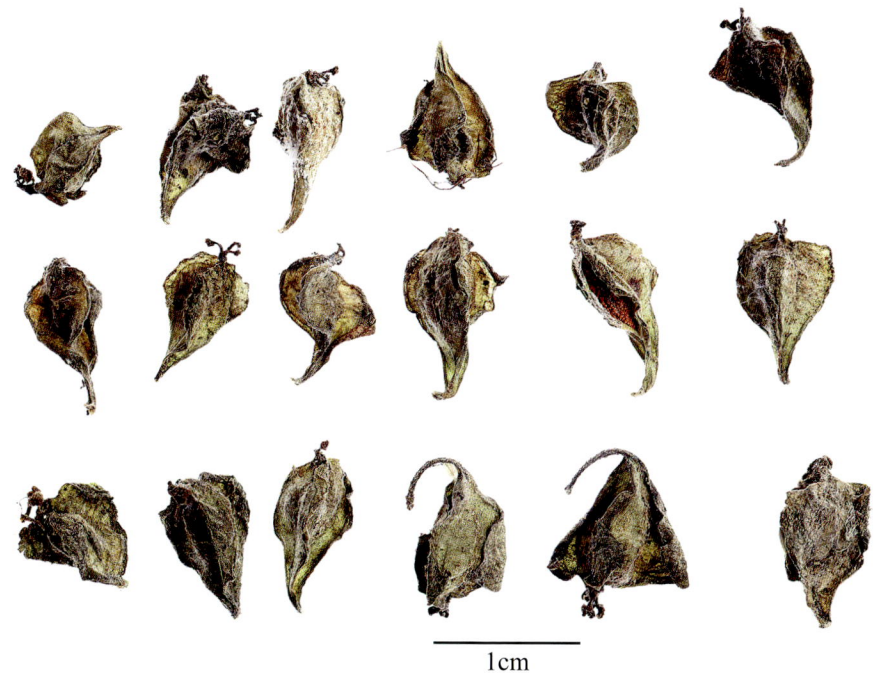

种子形态结构

种子： 倒卵形；表面具蜂巢状纹饰；黄棕色或棕色；长0.31~0.38mm，宽0.16~0.24mm，厚0.16~0.24mm。

种脐： 不明显，位于种子基端。

种皮： 黄棕色或棕色；壳质；厚0.02mm。

胚乳： 含量少；白色；肉质，含油脂；包着胚。

胚： 小。

▶ 种子集

▶ 种子的背面、腹面和顶部

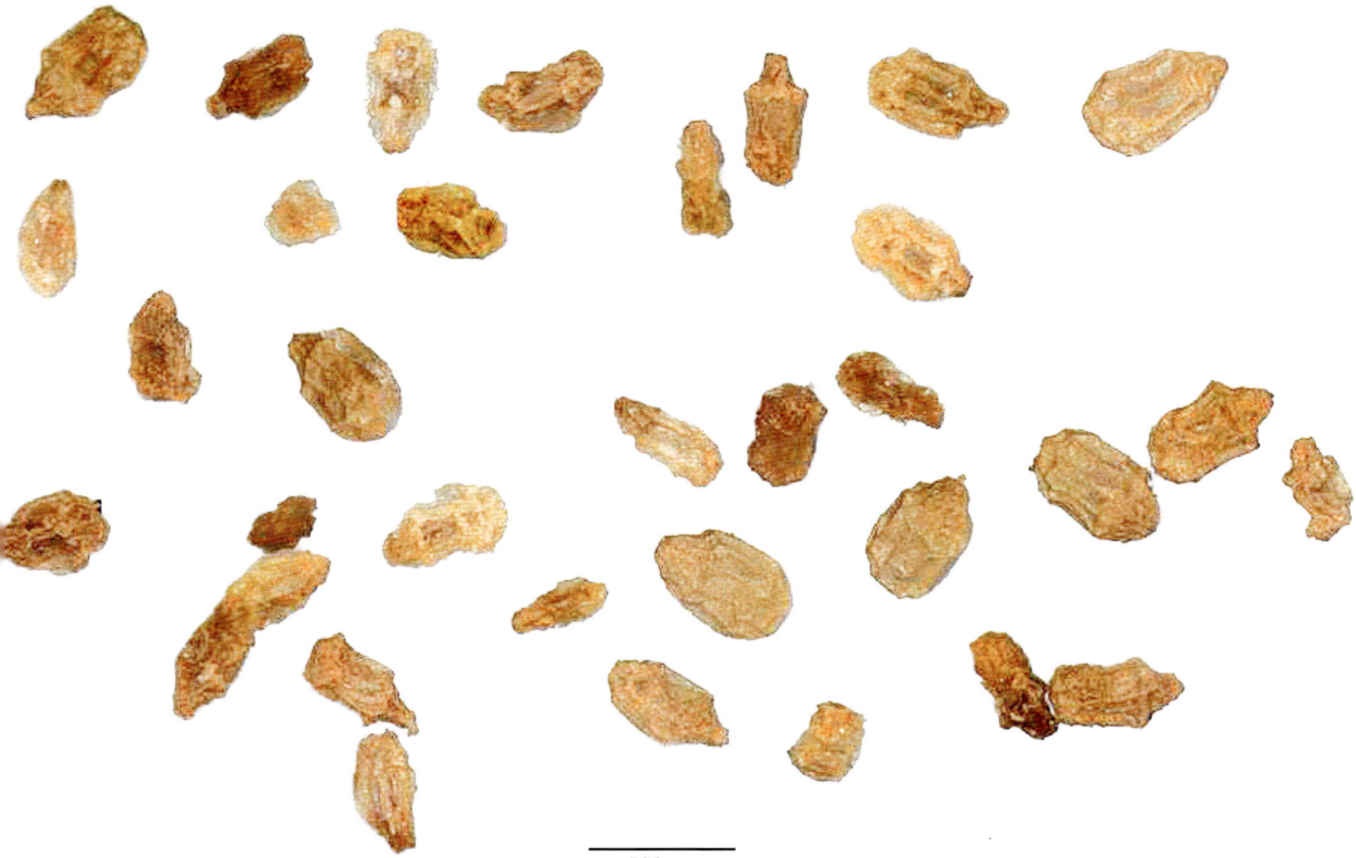

卫矛科 Celastraceae

永瓣藤
Monimopetalum chinense Rehder

植株生活型
落叶藤状灌木，高达6m。

分　　布
产于安徽、江西和湖北。生于海拔150~1000m的山谷、沟边或山坡树林中。

经济价值
既可观赏，又可用于治疗风湿性关节炎。

科研价值
中国特有单种属植物，对研究卫矛科的系统发育及地理分布具有重要价值。

濒危原因
分布区狭窄；生境破坏严重；种子小，传播有效性低，易丧失活力，发芽率低，导致种群天然更新困难。

保护级别 二级

▶ 植株

花果期
花期9—10月，果期10—12月。

果实形态结构
蒴果；椭球形；4深裂，常2室成熟，下有4片宿存增大的花被，排列成"十"字形。花被片匙形或长倒卵形，长10~12mm。果序梗及小果梗都较细。

传播体类型
种子。

传播方式
动物传播。

种子贮藏特性
正常型种子。在低温干燥条件下贮藏，寿命可达2.5年以上。

种子萌发特性
在20℃，12h/12h光照条件下，含200mg/L GA_3的1%琼脂培养基上，萌发率为67%；在25℃/15℃，12h/12h光照条件下，1%琼脂培养基上，萌发率为64%。

▶ 果枝

▶ 种子集

4mm

种子形态结构

种子：椭球形或卵形；表面皱褶，一侧具一条纵棱；棕色、棕褐色或黑色；长1.92~3.28mm，宽1.50~2.14mm，厚1.48~1.92mm，重0.0029~0.0057g；基部具黄色、肉质的假种皮。

种脐：线形；黄色；长0.60mm，宽0.20mm；位于种子基端。

种皮：外种皮外层为棕褐色，胶质；内层为壳质，黄棕色，厚0.04~0.06mm。内种皮为膜状胶质；棕褐色；紧贴胚乳。

胚乳：含量中等；厚0.30~0.44mm；白色；肉质，富含油脂；包着胚。

胚：肉质，富含油脂；长1.53~2.46mm，宽0.75~1.27mm，厚0.49~0.53mm；直生于种子中央。子叶2枚；矩圆形或椭圆形，平凸；黄色或黄绿色；长1.18~1.72mm，宽0.75~1.27mm，厚0.17~0.27mm；下部稍分离。胚根短圆柱形，基端稍尖；乳白色或黄色；长0.36~0.72mm，宽0.29~0.44mm，厚0.31~0.36mm；朝向种脐。

▶ 种子的背面、腹面和基部

▶ 种子 X 光照

1mm

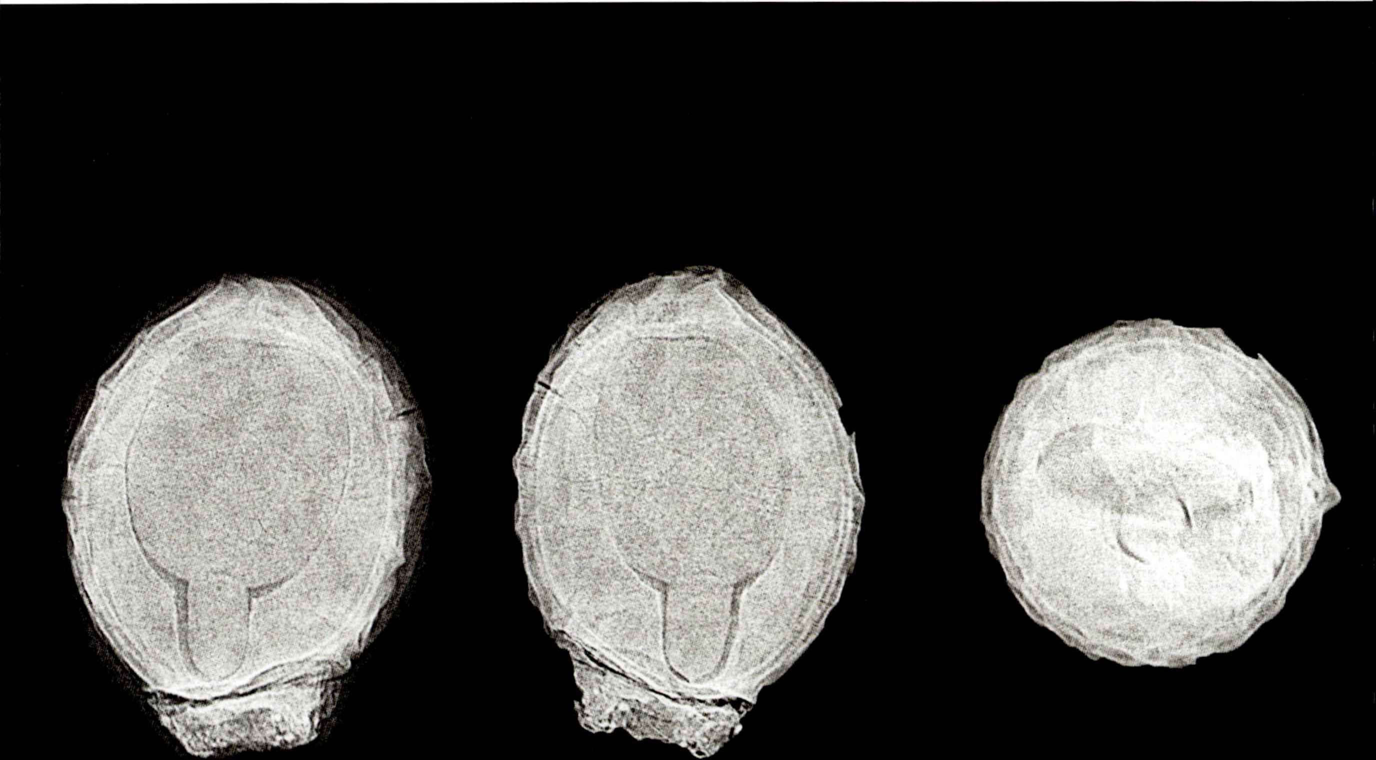

◀ 种子纵切面

500μm

◀ 种子横切面

500μm

◤ 胚

500μm

安神木科 Centroplacaceae

膝柄木
Bhesa robusta (Roxb.) Ding Hou

保护级别 一级

植株生活型
半常绿乔木，高达13m。

分　　布
产于广西。生于海拔50m近海岸的坡地杂木林中。此外，印度、孟加拉国、文莱、印度尼西亚、柬埔寨、老挝、缅甸、泰国、越南和马来西亚也有分布。

经济价值
用材树种；在丰富滨海植物种群数量、维系海岸植被生态系统的稳定性和抵御台风自然灾害方面也有重要作用。

科研价值
分布于东南亚的热带地区，是该属分布最北的种类，对研究我国植物区系有着重要科学意义。

濒危原因
分布区狭窄；生境破坏严重；过度砍伐；种群小，各植株间距较远，种子繁殖困难，小苗成活率低，导致种群天然更新困难。

▶ 植株

花果期

花期8月，果期至翌年4—5月。

果实形态结构

蒴果；椭球形或卵形；黄绿色；长1.65~2.284cm，宽1.12~1.38cm，厚1.11~1.33cm，重1.1681~1.9584g。基部具长约1mm的粗壮果梗。果皮厚0.87~1.70mm；成熟后纵裂；内含种子1粒。

传播体类型

种子。

传播方式

动物传播。

种子贮藏特性

顽拗型种子。忌失水，不耐低温，亦不耐久藏。

◀ 果枝

▶ 果实的背面、腹面、顶部和基部

▶ 带假种皮的种子集

种子形态结构

种子：椭球形；表面具纵沟，或无；深棕色，有光泽；长10.75~16.34mm，宽5.67~9.88mm，厚4.78~7.45mm，重0.2594~0.4560g；包于假种皮中。假种皮新鲜时为橙色，干后为橙黄色；肉质；厚1.26~3.62mm；下部的2/3~4/5严密包裹着种子，上部呈条状，部分可至顶端，包裹着种子。

种脐：宽椭圆形；黄白色；长1.94~4.54mm，宽1.83~3.58mm；位于种子基端。

种皮：外种皮棕色；革质；厚0.13~0.18mm。内种皮黄白色或黄棕色；纸状胶质；紧贴胚乳。

胚乳：含量中等；乳白色；胶质，富含油脂；厚0.71~1.22mm；包着胚。

胚：椭圆形；胶质，含油脂；长8.06~12.69mm，宽1.49~6.27mm，厚4.48~4.63mm；直生于种子中央。子叶2枚；卵形；乳白色，具油管；长4.48~5.97mm，宽2.69~2.84mm，厚1.04~1.34mm；厚薄不均，并合。下胚轴和胚根圆柱形；乳白色，或略带黄绿色；长2.69~4.18mm，宽1.04~1.94mm，厚0.90mm；朝向种脐。

▶ 种子的背面、侧面和基部

▶ 种子 X 光照

  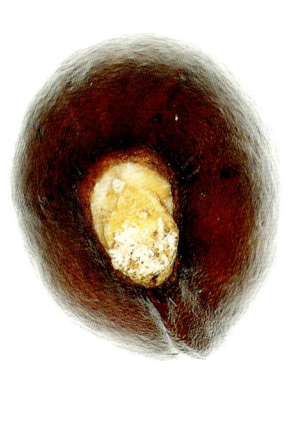

5mm

◀ 带内种皮的种子

◀ 种子横切面

▶ 种子纵切面

5mm

▶ 胚

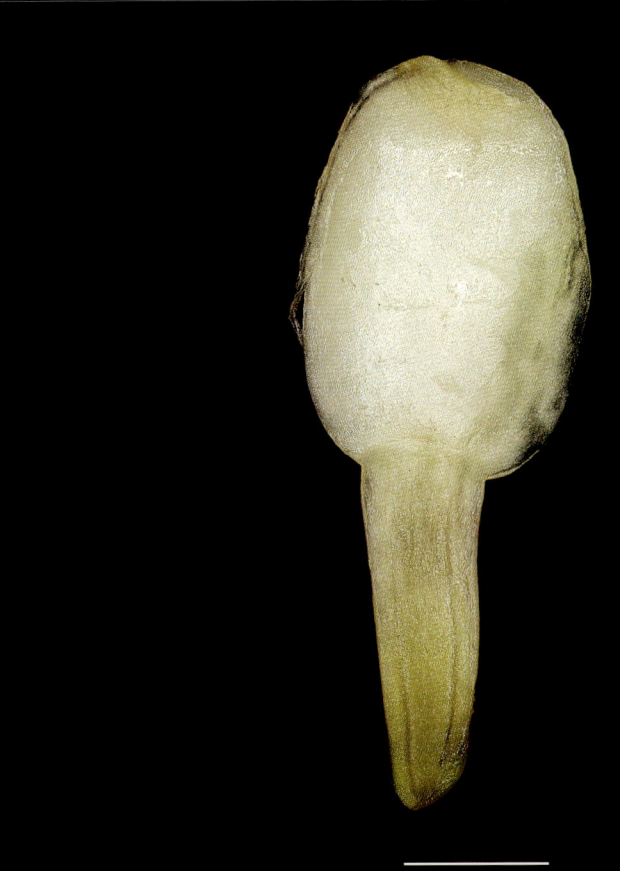

2mm

大戟科 Euphorbiaceae

东京桐
Deutzianthus tonkinensis **Gagnep.**

保护级别 二级

植株生活型
乔木，高8~14m，胸径达30cm。

分　　布
产于广西和云南。生于海拔900m以下的密林中。此外，越南也有分布。

经济价值
既是优良的木本油料植物，也是优良的绿化树种。

科研价值
单种属植物，仅分布于北热带，对研究大戟科植物分类、系统演化和区系具有重要价值。

濒危原因
分布区狭窄；生境特殊且破坏严重；种群数量少，种子易丧失活力，导致种群天然更新困难。

▶ 植株

花果期
花期4—6月，果期7—9月。

果实形态结构
蒴果；阔卵形或三棱状球形，顶端尖；表面被灰白色短绒毛；幼时黄绿色，成熟后为浅褐色；长2.8~3.5cm，宽3~3.8cm。外果皮厚壳质。内果皮木质；内含种子3粒，稀2粒或4粒。

传播体类型
种子。

传播方式
动物传播。

种子贮藏特性
不宜干藏，宜随采随播或短期沙藏。

种子萌发特性
有休眠。在30℃，12h/12h光照条件下，湿沙上，萌发率为63%。

◀ 花

▶ 果枝

▶ 种子集

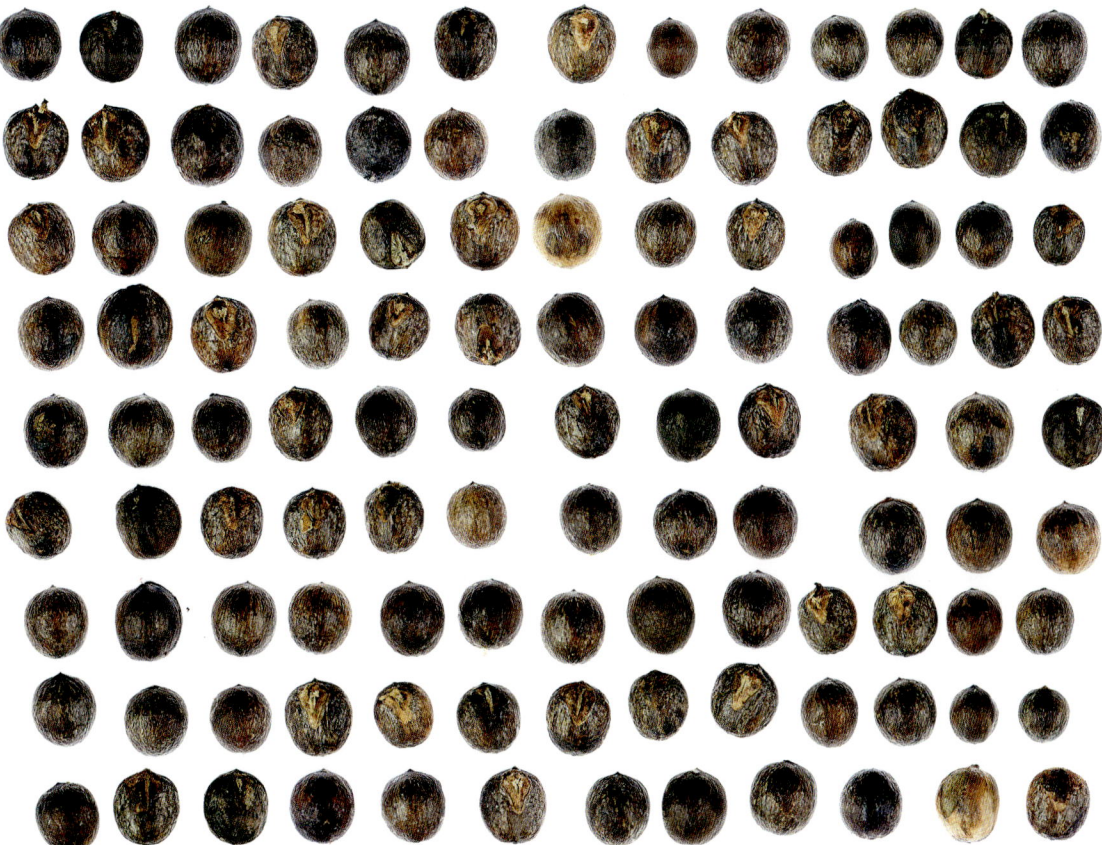

4cm

种子形态结构

种子： 椭圆形；腹平背拱；棕色、棕褐色或黑褐色，有不规则斑纹，具光泽；长1.34~2.67cm，宽1.57~2.50cm，厚1.30~1.50cm。

种脐： 钝三角形；棕色；位于腹面近基部。

种皮： 外种皮硬壳质；厚0.37~0.75mm。内种皮棕白色；纸质。

胚乳： 含量丰富；中央向两侧渐薄，厚1.10~4.20mm；鲜时白色或浅黄色，海绵质，干后橙色，胶质；包着胚。

胚： 宽矩圆形；新鲜时为白色，干后为黄白色；直生于种子中央。子叶2枚；宽矩圆形；具网状叶脉，长11.94~16.44mm，宽14.93~19.05mm，厚0.07~0.09mm；互相分离。胚芽横椭圆形；长0.29mm，宽1.02~1.04mm，厚0.31~0.33mm；已具两枚真叶原基。胚根短圆柱形；长2.15~3.30mm，宽1.34~2.36mm，厚1.19mm；位于子叶基部；朝向种子基端。

▶ **种子的背面、腹面和基部**

▶ **种子 X 光照**

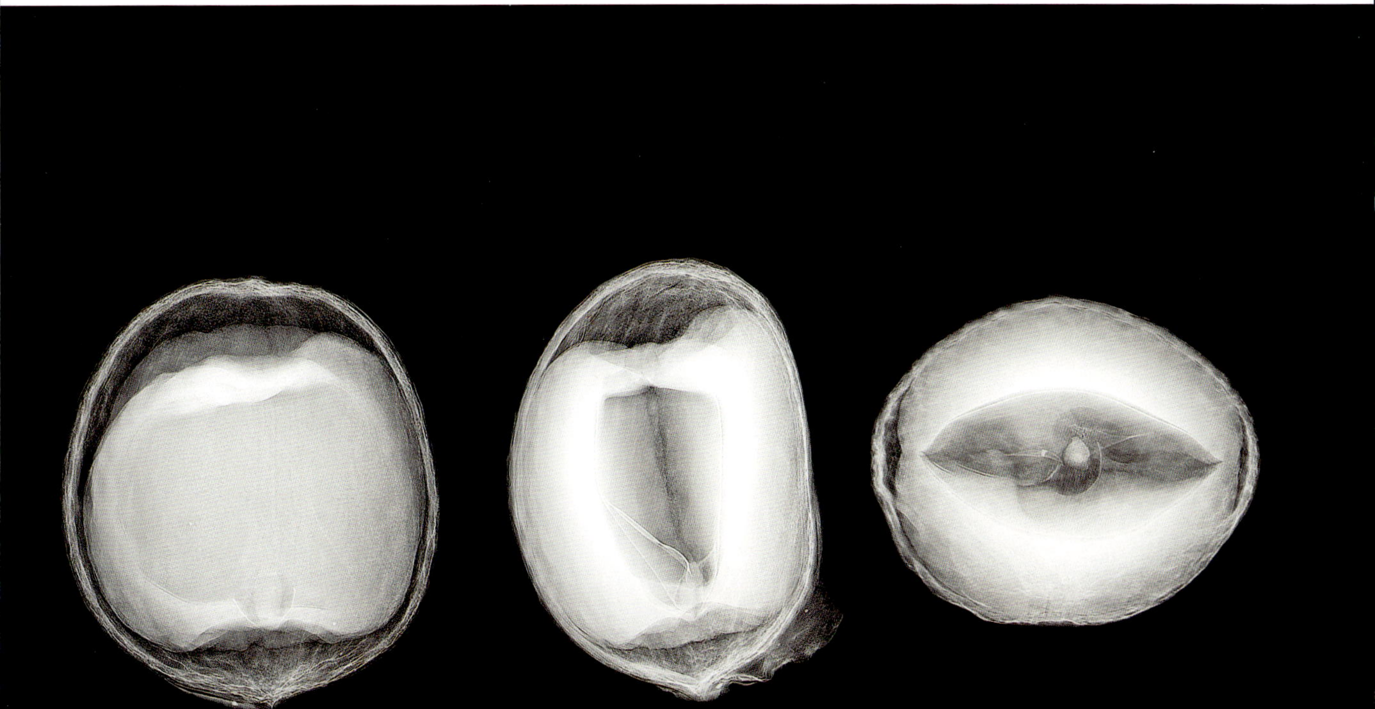

◀ 带内种皮的种子

5mm

◀ 种子横切面

1cm

▶ 种子纵切面

5mm

▶ 胚

5mm

使君子科 Combretaceae

保护级别 二级

千果榄仁
Terminalia myriocarpa Van Heurck & Müll. Arg.

植株生活型
常绿乔木，高25~40m，胸径达2m，具板根。

分　　布
产于广东、广西、云南和西藏。生于海拔600~1500（~2500）m的河谷森林中。此外，孟加拉国、不丹、印度、印度尼西亚、老挝、马来西亚、缅甸、尼泊尔、泰国和越南也有分布。

经济价值
既是优良用材树种，也是一种重要藏药，具抗菌、驱虫、收敛等功效，能治疗细菌性痢疾和喉炎，还可抗癌。

科研价值
热带季雨林的代表种和指示种，对研究热带季雨林及其更新、演替、生态评价等具有重要价值。

濒危原因
生境破坏严重；过度砍伐；种子空瘪严重。

▶ 植株

花果期

花期8—10月,果期10月至翌年2月。

果实形态结构

瘦果;卵形;顶部缢缩成颈状,两侧各具一枚长4.03~6.70mm、宽1.74~4.32mm的横卵形或横椭圆形长翅,背部中央具一宽0.53~1.39mm、高0.29~2.00mm的三角形竖翅,表面具稀疏不均的黄白色或黄棕色短绒毛;新鲜时为紫红色,干后为黄白色或黄棕色;长2.01~4.19mm,宽9.41~13.81mm,厚0.78~1.47mm,重0.0012~0.0018g(去翅后长2.01~4.19mm,宽0.54~1.27mm,厚0.78~1.47mm)。果皮纸质;厚0.04~0.11mm;内含种子1粒。果疤椭圆形;黄白色;长0.33~0.40mm,宽0.33~0.40mm;稍突起;位于种子基部中央。

传播体类型

果实。

传播方式

风力传播。

种子贮藏特性

正常型种子。在低温干燥条件下贮藏,寿命可达14年以上。

种子萌发特性

无休眠。在20℃、25℃、25℃/15℃,12h/12h光照条件下,1%琼脂培养基上,萌发率均可达100%。

▶ 果序

▶ 果实集

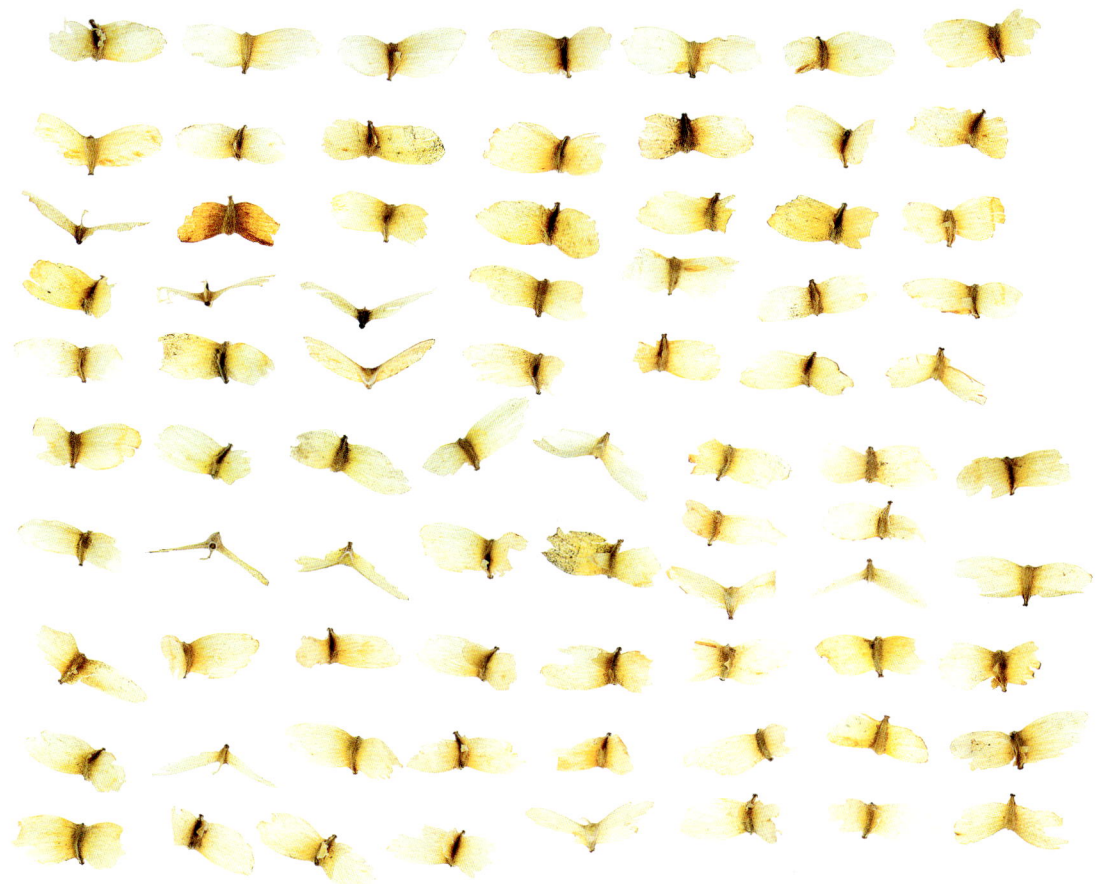

种子形态结构

种子：卵形；一侧具一条棕色纵线；黄棕色；长1.59~1.98mm，宽0.63~0.96mm，厚0.73~0.89mm。种脐近圆形；棕褐色；直径为0.20~0.27mm；位于种子基端。

种皮：黄棕色；膜状胶质；紧贴胚。

胚乳：无。

胚：卵形；蜡质，含油脂；长1.80~1.89mm，宽0.76~0.89mm，厚0.73~0.80mm；直生于种子中央。子叶2枚；宽椭圆形，扁平；乳黄色；并合，席卷呈长1.38~1.56mm、宽0.76~0.89mm、厚0.36~0.40mm的卵形，顶端稍平，下端包裹着胚根上半部。下胚轴和胚根圆锥形；乳白色；长0.44~1.00mm，宽0.38~0.44mm，厚0.33~0.38mm；朝向种子顶端。

▶ 果实的背面、腹面和侧面

▶ 果实 X 光照

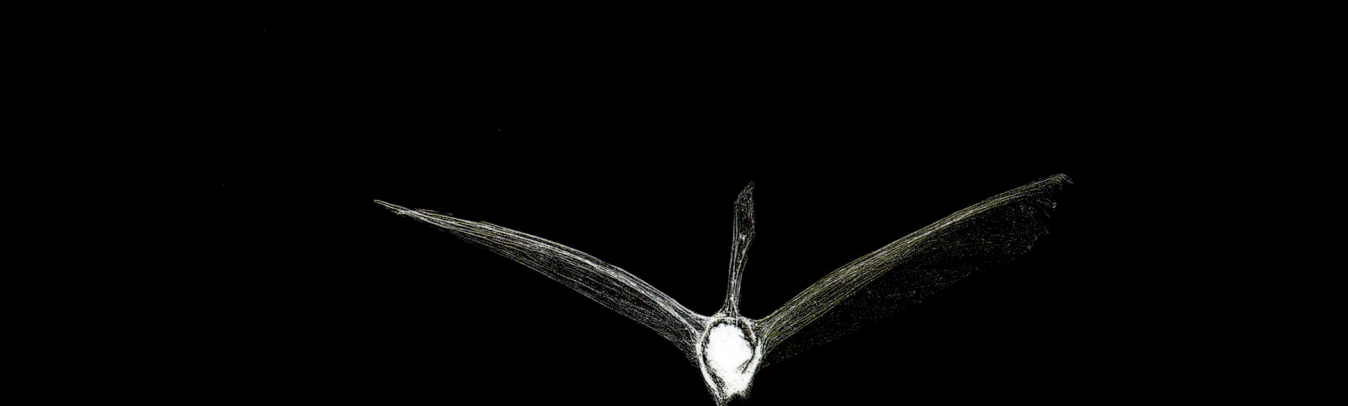

◀ 种子

500μm

◀ 种子横切面

500μm

▶ 种子纵切面

500μm

▶ 幼苗

5mm

漆树科 Anacardiaceae

林生杧果
Mangifera sylvatica Roxb.

保护级别 二级

植株生活型
常绿乔木，高6~20m。

分　　布
产于云南和广西。生于海拔620~1900m的山坡或沟谷林中。此外，尼泊尔、印度、孟加拉国、缅甸、泰国和柬埔寨也有分布。

经济价值
优良的用材树种和园林观赏树种。

科研价值
既对杧果属植物区系的研究具有重要价值，也是杧果育种和品种改良的重要遗传资源。

濒危原因
分布区狭窄；生境破坏严重；过度砍伐。

▶ 生境

花果期
果期12月至翌年4月。

果实形态结构
核果；卵形；幼时绿色，成熟后为黄绿色至黄色；长6~8cm，宽4~5cm。外果皮革质。中果皮肉质；未成熟时为白色，成熟后为黄色，味香甜。去除外果皮和中果皮后的果核为卵形，长40.42~72.40mm，宽20.83~33.58mm，厚10.53~23.03mm，重2.8178~19.6704g。内果皮为木质；黄色、黄棕色或棕色；表面密布黄色粗纤维和多条纵沟；厚1.80~2.20mm；干后不会开裂；内含种子1粒。

传播体类型
果实。

传播方式
动物传播。

种子贮藏特性
顽拗型种子。忌失水，不耐低温，亦不耐久藏。

种子萌发特性
发芽日均温为20℃左右。

▶ 果枝

▶ 果核群

种子形态结构

种子：卵形；灰白色、灰棕色或黄棕色；长4.29~4.67cm，宽1.75~2.02cm，厚1.16~1.39cm。

种脐：梭形；灰黄色；位于种子一侧的中部。

种皮：外种皮外层为灰白色、灰棕色或黄棕色，纸质，厚0.03~0.04mm；内层为灰褐色，膜质。内种皮外表面为灰褐色，内表面为黑色；壳质；厚0.18~0.24mm；与胚分离。

胚乳：无。

胚：有时具多胚。胚新鲜时为黄白色，干后为黄棕色或褐色；折叠成卵形；半肉半胶质；长34.35~41.12mm，宽12.56~15.78mm，厚8.73~11.98mm；直生于种子中。子叶2枚；长倒卵形；异形；肥厚，平凸；长36.29~45.17mm，宽13.69~15.78mm，厚3.49~5.69mm；并合。胚芽三角状卵形；白色；长0.40~1.20mm，宽0.55~0.75mm，厚0.35~0.55mm。胚根倒卵形；长1.55~2.65mm，宽0.70~2.25mm，厚0.40~1.00mm；朝向种脐。

▶ 果核的背面、腹面、侧面和基部

▶ 果核 X 光照

2cm

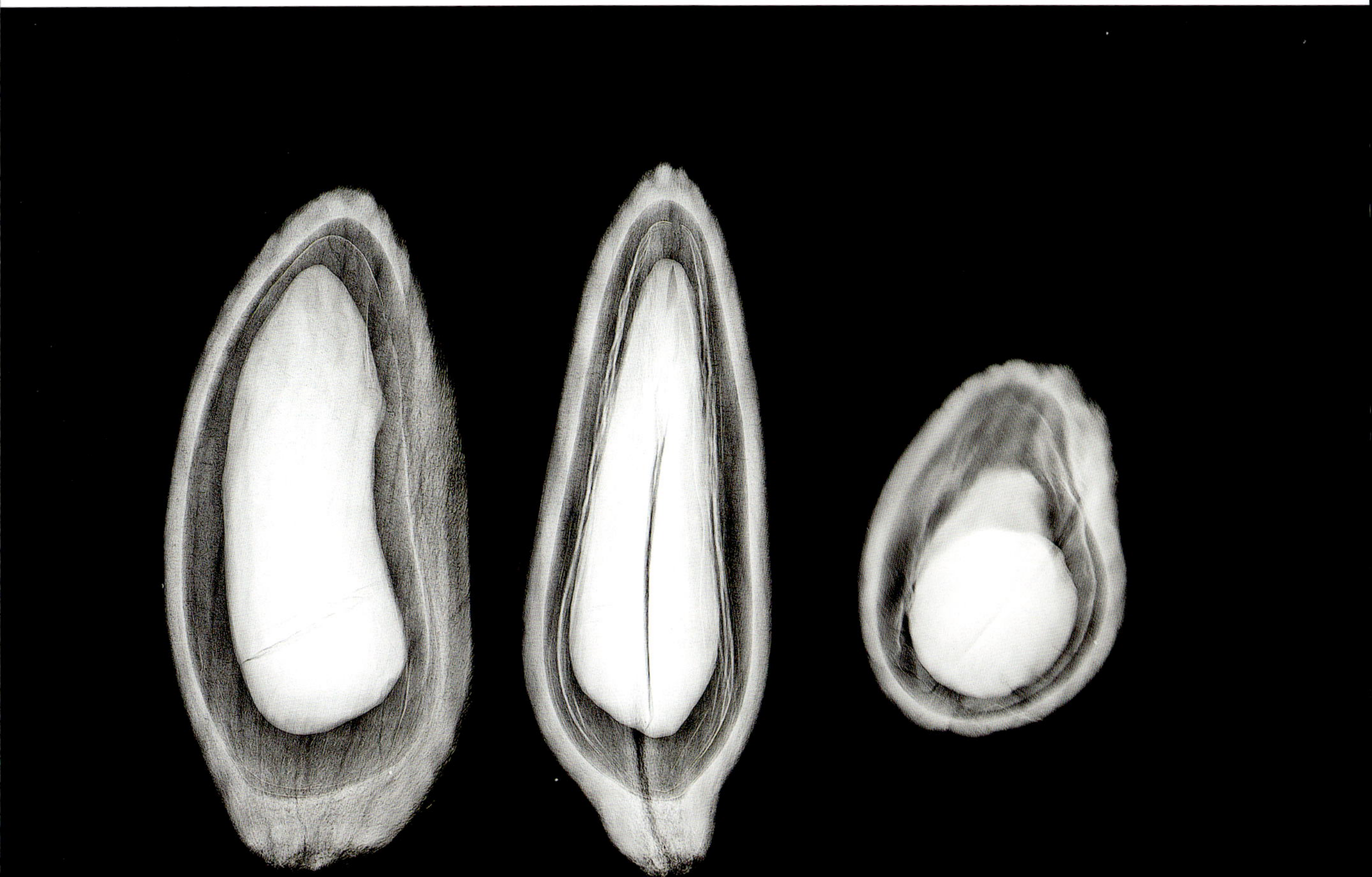

◀ 种子

1cm

◀ 果核横切面

1cm

▶ 果核纵切面

2cm

▶ 胚

1cm

无患子科 Sapindaceae

梓叶槭
***Acer amplum* subsp. *catalpifolium* (Rehder) Y. S. Chen**

植株生活型
落叶乔木，高达25m。

分　　布
产于广西、四川和贵州。生于海拔400~2000m的山谷混交林中。

经济价值
优良的用材树种和绿化观赏树种。

科研价值
是中国特有的珍稀树种，又是槭属中较原始的种类，对探讨该属的系统演化及地理分布等具有重要价值。

濒危原因
分布区狭窄；生境破坏严重；过度砍伐；种群小而分散。

▶ 果枝

花果期

花期4月,果期8—10月。

果实形态结构

小坚果;倒卵形,扁平;顶端具长24.34~33.49mm,宽8.35~13.71mm,厚0.10~0.36mm的长翅;幼时绿色,成熟后为枯黄色或棕色;长31.04~48.85mm,宽9.50~13.71mm,厚0.81~1.83mm,重0.0389~0.0583g(去翅后长10.00~15.85mm,宽5.27~6.70mm,厚0.81~1.83mm)。果皮草质;厚0.07mm;内含种子1粒。两果常对生,基部相连;互成锐角或直角,平展;基部果梗长2~3cm。去除果梗后,果疤为窄倒卵形;长5.5mm,宽1.5mm;位于果实基端。

传播体类型

果实。

传播方式

风力传播。

种子贮藏特性

正常型种子。在低温干燥条件下贮藏,寿命可达3年以上。

种子萌发特性

具物理休眠。在5℃,12h/12h光照条件下,含200mg/L GA_3 的1%琼脂培养基上,萌发率为80%;而在20℃/10℃,12h/12h光照条件下,湿润滤纸上,萌发率为50%。

▶ 果实集

2cm

种子形态结构

种子：椭圆形；表面凹凸不平，密布黑色、棕褐色或褐色细小结晶；棕褐色、黑褐色或黑色；长5.78~10.02mm，宽3.90~5.70mm。

种脐：宽椭圆形或横三角形；黄棕色；长0.89~1.25mm，宽0.27~0.50mm；位于种子基部。

种皮：纸质；厚0.02~0.04mm。

胚乳：无。

胚：椭圆形，弯且折叠；蜡质，含油脂；长12.65~13.90mm，宽4.30~4.80mm，厚0.20~0.49mm。子叶2枚；椭圆形，扁平；黄绿色或深绿色；长5.87~7.50mm，宽3.70~4.50mm，厚0.09~0.10mm；并合。下胚轴和胚根扁圆柱形；黄绿色；长5.50~8.50mm，宽0.44~1.08mm，厚0.13~0.46mm；位于子叶一侧，与子叶缘倚；朝向种脐。

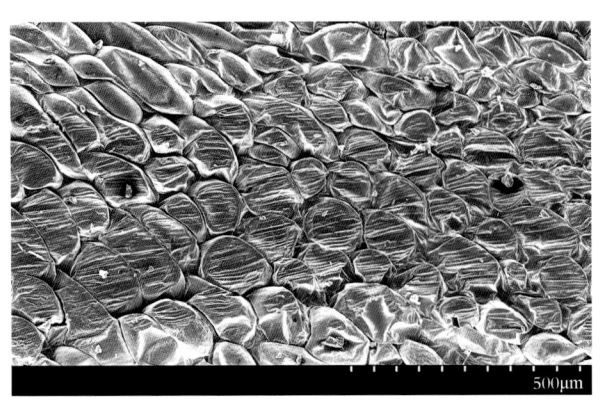

◀ 翅表面 SEM 照

▶ 果实的腹面、背面和侧面

▶ 果实 X 光照

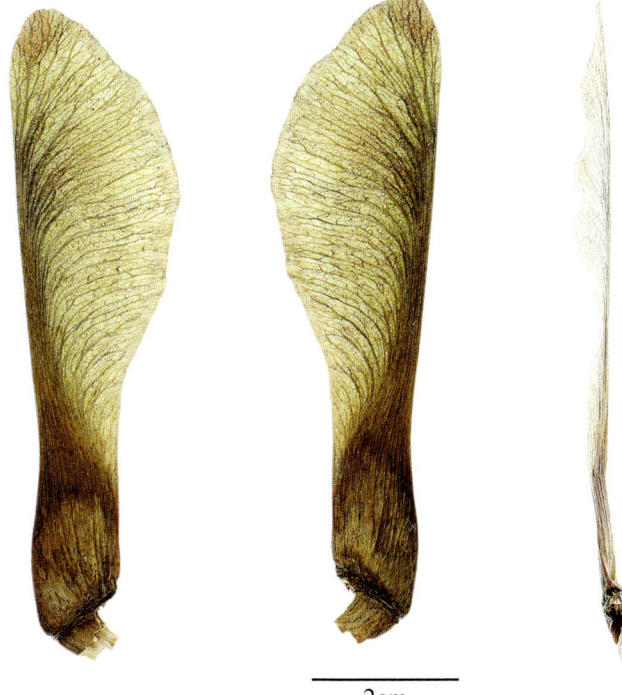

2cm

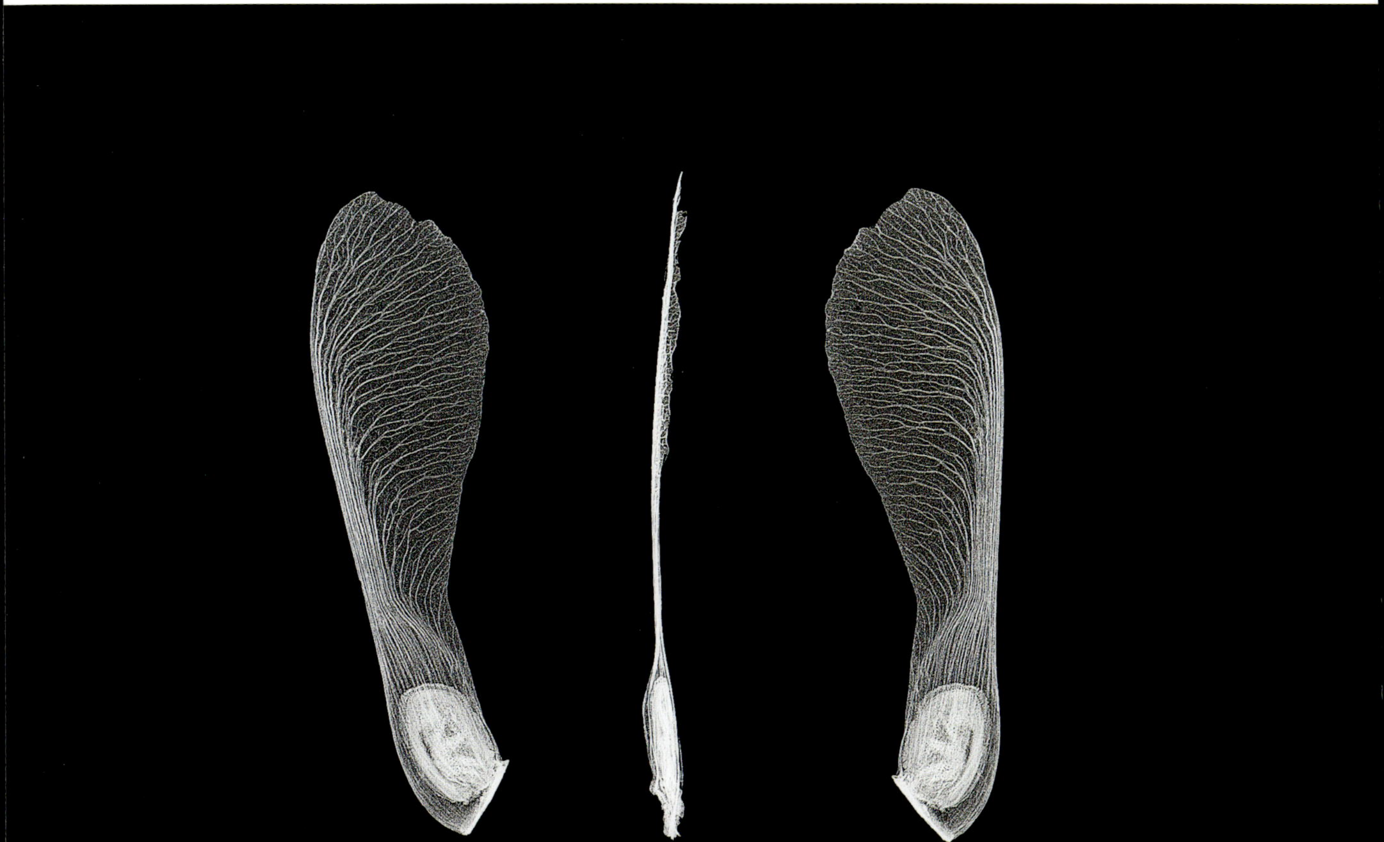

◀ 种子的背面和侧面

2mm

◀ 种子横切面

2mm

▶ 种子纵切面

2mm

▶ 胚的腹面和侧面

2mm

无患子科 Sapindaceae

漾濞槭

***Acer yangbiense* Y. S. Chen & Q. E. Yang**

保护级别 二级

植株生活型
落叶乔木，高达20m。

分　　布
产于云南。生于海拔2200~2400m的山谷混交林中。

经济价值
用材树种和绿化观赏树种。

科研价值
中国特有珍稀树种，对探讨槭属的系统演化及地理分布等具有重要价值。

濒危原因
分布区狭窄；生境破碎化；过度砍伐；种群小而分散，种子结实率低，空瘪严重，导致种群天然更新困难。

▶ 果枝

花果期
花期4月，果期9—12月。

果序形态结构
每果序具9~17枚小坚果；长9~32cm，宽约7cm；下垂。小坚果两两对生，基部相连；互成锐角或近直角，平展；基部果梗长2.7~3.4cm。

果实形态结构
小坚果；扁球形；顶端具长20.92~40.55mm、宽9.40~18.06mm、厚0.13~0.34mm的有脉长翅；黄棕色或褐色；长7.92~14.13mm，宽6.86~11.35mm，厚5.30~10.36mm（不带翅）。外果皮黄棕色或褐色；纸质；厚0.16~0.27mm。内果皮黄白色；骨质；厚0.51~0.71mm，成熟后不会开裂；内含种子1粒。

传播体类型
果实。

传播方式
风力传播。

种子贮藏特性
正常型种子。

▶ 果实集

▶ 果实 X 光照

2cm

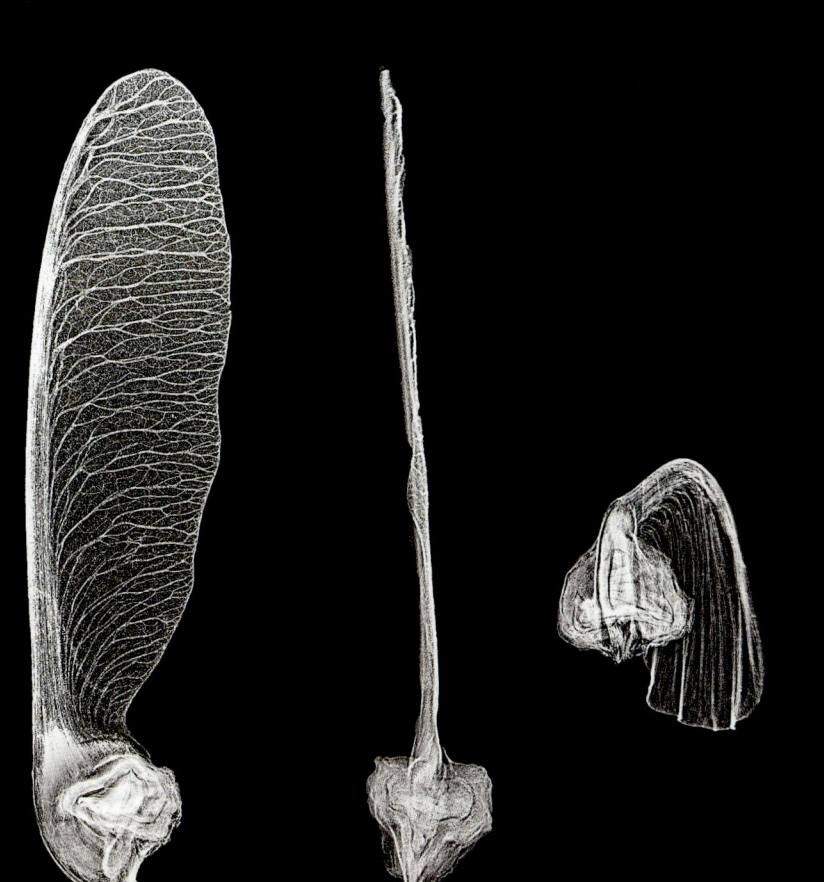

种子形态结构

种子：三棱状卵形；棕褐色；长4.82~5.30mm，宽5.20~6.00mm，厚3.76~4.00mm。

种脐：柄状突起；黄棕色；长1.00~2.10mm，宽0.67~1.51mm；位于种子基端。

种皮：棕褐色；纸质；厚0.04mm。

胚乳：无。

胚：折叠状；蜡质；长4.53~5.50mm，宽4.85~5.20mm，厚2.00~3.80mm。子叶2枚；扁平；黄绿色；厚0.29mm；并合，折叠。下胚轴和胚根圆柱形，基端稍尖；黄绿色或黄色；长2.90~5.07mm，宽0.65~1.10mm，厚0.69~0.85mm。

▶ 果实的背面、腹面和侧面

▶ 种子的腹面、背面和顶部

1cm

5mm

◀ 带翅果实纵切面

5mm

◀ 种子横切面

2mm

▶ 种子纵切面

2mm

▶ 胚的正面和侧面

2mm

无患子科 Sapindaceae

云南金钱槭
Dipteronia dyeriana Henry

保护级别 二级

植株生活型
落叶乔木，高5~13m。

分 布
产于云南。生于海拔2000~2500m的疏林中。

经济价值
既可用材，又可观赏的珍贵树种。种子还可榨油，供食用或工业用。

科研价值
中国特有古老孑遗植物，对研究无患子科的系统分类和演化具有重要价值。

濒危原因
第四纪冰期影响；分布区狭窄；生境破坏严重；过度砍伐；种群小而分散，天然更新困难。

▶ 植株

花果期

花期4—5月，果期9—10月。

果实形态结构

小坚果；扁球形；顶端具长20.92~40.55mm、宽9.40~18.06mm、厚0.13~0.34mm的有脉长翅；黄棕色或褐色；长7.92~14.13mm，宽6.86~11.35mm，厚5.30~10.36mm（不带翅）。外果皮黄棕色或褐色；纸质；厚0.16~0.27mm。内果皮黄白色；骨质；厚0.51~0.71mm，成熟后不会开裂；内含种子1粒。

◀ 果序

▶ 果实集

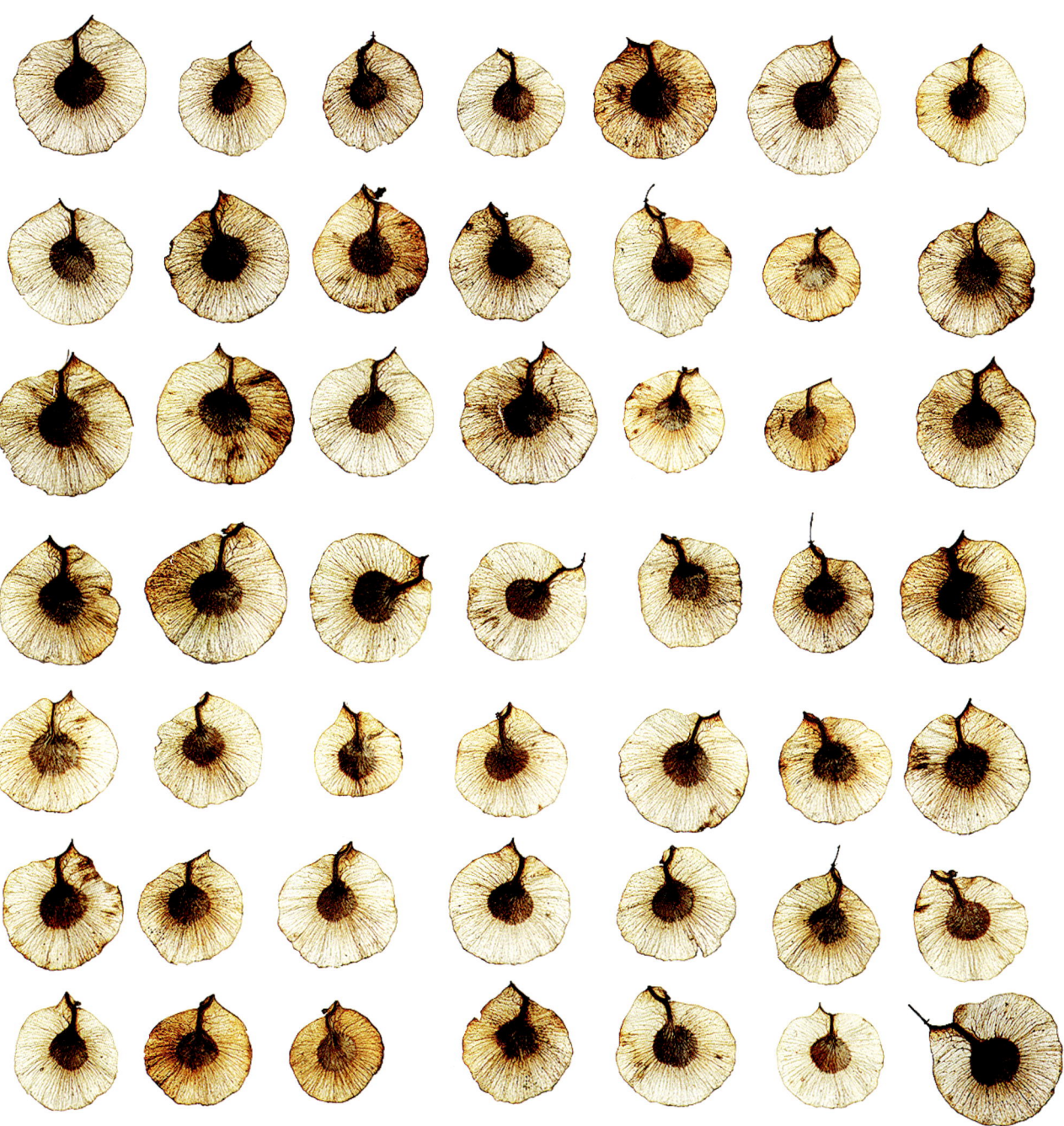
5cm

传播体类型
果实。

传播方式
风力传播。

种子贮藏特性
正常型种子。在低温干燥条件下贮藏，寿命可达5年以上。

种子萌发特性
具生理休眠。去除果皮，在5℃，12h/12h光照条件下，含200mg/L GA_3的1%琼脂培养基上，萌发率为80%。

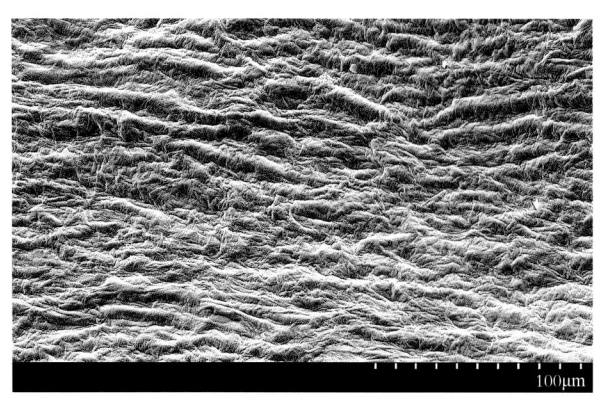

◀ 果翅表面 SEM 照

▶ 果实的背面和腹面

▶ 果实 X 光照

2cm

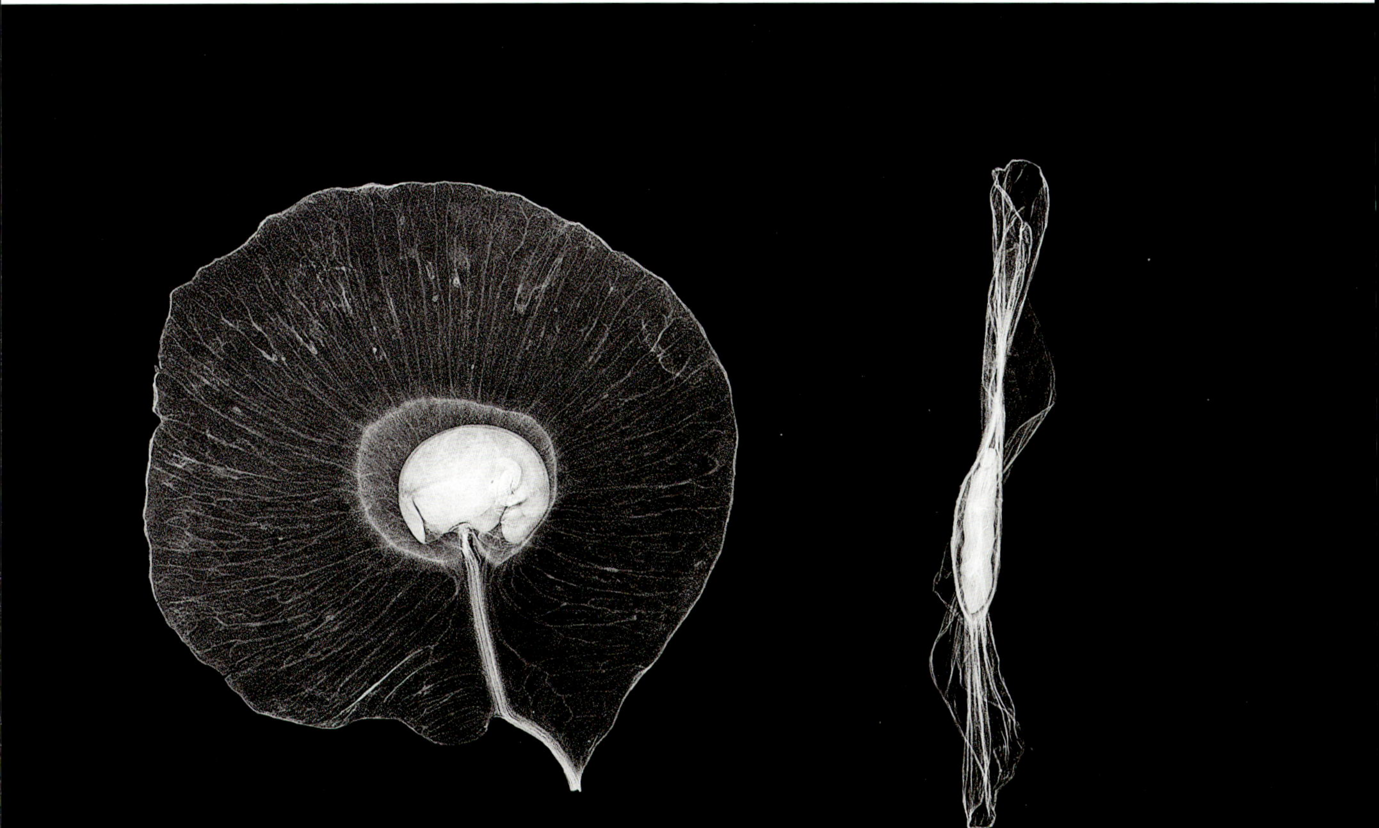

种子形态结构

种子：肾形；两面近种脐的地方各具一块棕褐色、舌状印痕；棕色；长9.34~13.51mm，宽6.99~10.43mm，厚2.35~3.05mm，重0.0956~0.1996g。

种脐：椭圆形；棕色；长1.75mm，宽0.55mm；位于种子一侧的中部。

种皮：棕色；纸质。

胚乳：无。

胚：折叠成肾形；黄色；蜡质；长10.75~13.51mm，宽6.99~10.43mm，厚2.40~3.13mm；直生于种子中。子叶2枚；长卵形，扁平，具叶脉；并合，且折叠成长9.60~13.01mm、宽7.01~8.96mm的矩圆形。下胚轴及胚根圆柱形，基部尖；长4.03~4.48mm，宽0.60~1.34mm，厚0.67~0.93mm；位于子叶基部，与子叶缘倚；朝向种脐。

▶ **种子的背面、腹面和侧面**

▶ **种子 X 光照**

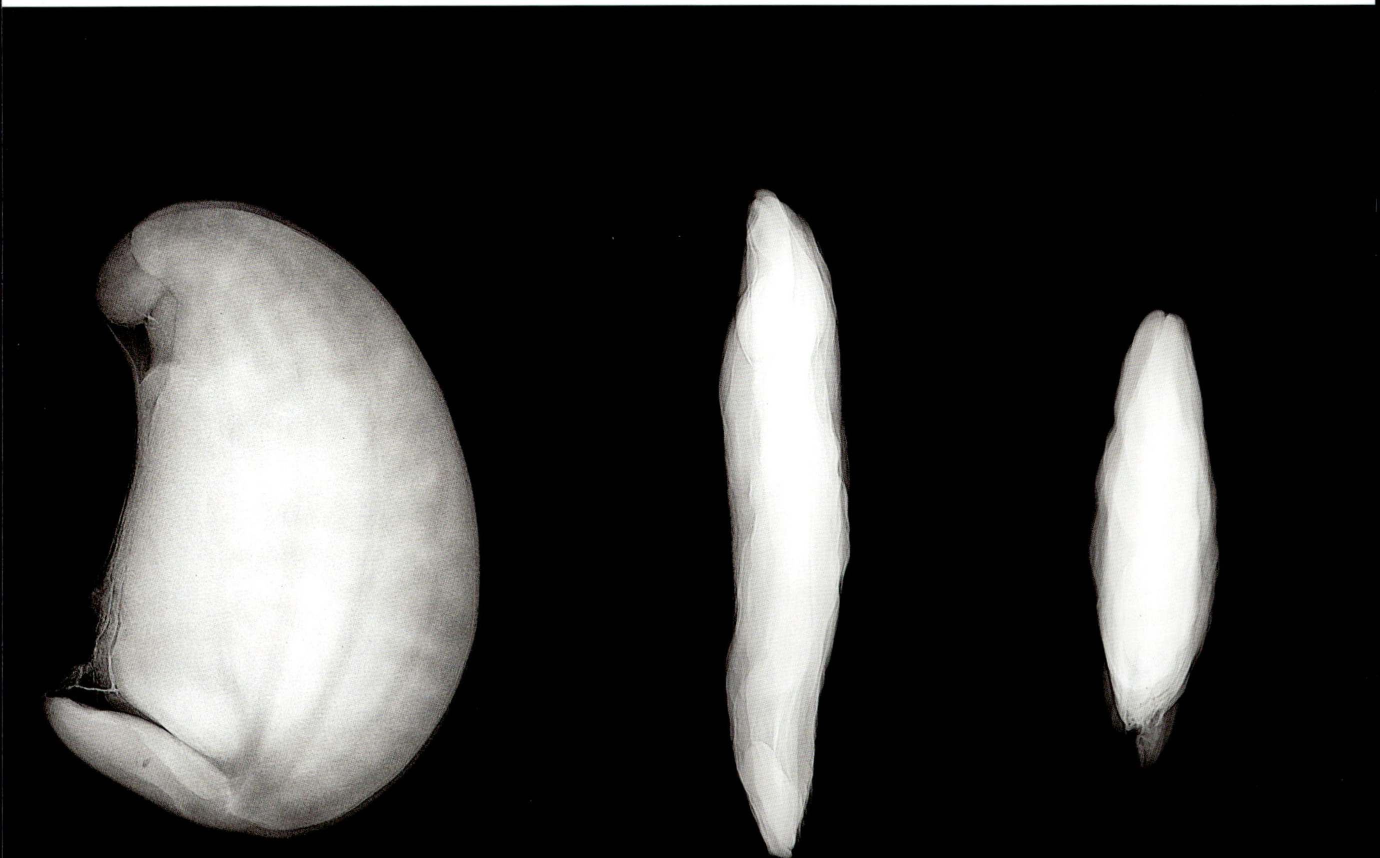

◀ 种子纵切面

4mm

◀ 种子横切面

2mm

▶ 胚的腹面和侧面

4mm

▶ 幼苗

1cm

无患子科 Sapindaceae

伞花木

Eurycorymbus cavaleriei (H. Lév.) Rehder & Hand.-Mazz.

保护级别 二级

植株生活型
落叶乔木，高6~20m。

分布
产于福建、江西、湖北、湖南、广东、广西、四川、贵州、云南和台湾。生于海拔150~1600m的丘陵山地沟谷或溪边常绿阔叶林中。

经济价值
用材树种。

科研价值
中国特有单种属植物和第三纪孑遗植物，对研究无患子科的系统发育、古植物区系、古地理和第四纪冰川气候具有重要价值。

濒危原因
第四纪冰期影响；生境破坏严重；过度砍伐；个体稀少，竞争力弱。

▶ 果枝

花果期
花期4—6月，果期7—10月。

果实形态结构
蒴果；圆球形或倒卵形；黄棕色；长5.33~8.50mm，宽4.20~7.03mm，厚4.16~6.36mm，重0.0977~0.1252g。果皮壳质；外层为褐色，内层为枯黄色；外表面密被黄棕色短绒毛；厚0.29mm；成熟后两瓣开裂；内含种子1粒。

传播体类型
种子。

传播方式
重力传播。

种子贮藏特性
正常型种子。低温干燥条件下贮藏有助于延长其寿命。

种子萌发特性
具物理休眠。去除外种皮，在20℃或25℃/15℃，12h/12h光照条件下，1%琼脂培养基上，萌发率均可达100%。

▶ 果实的背面和腹面

▶ 种子集

5mm

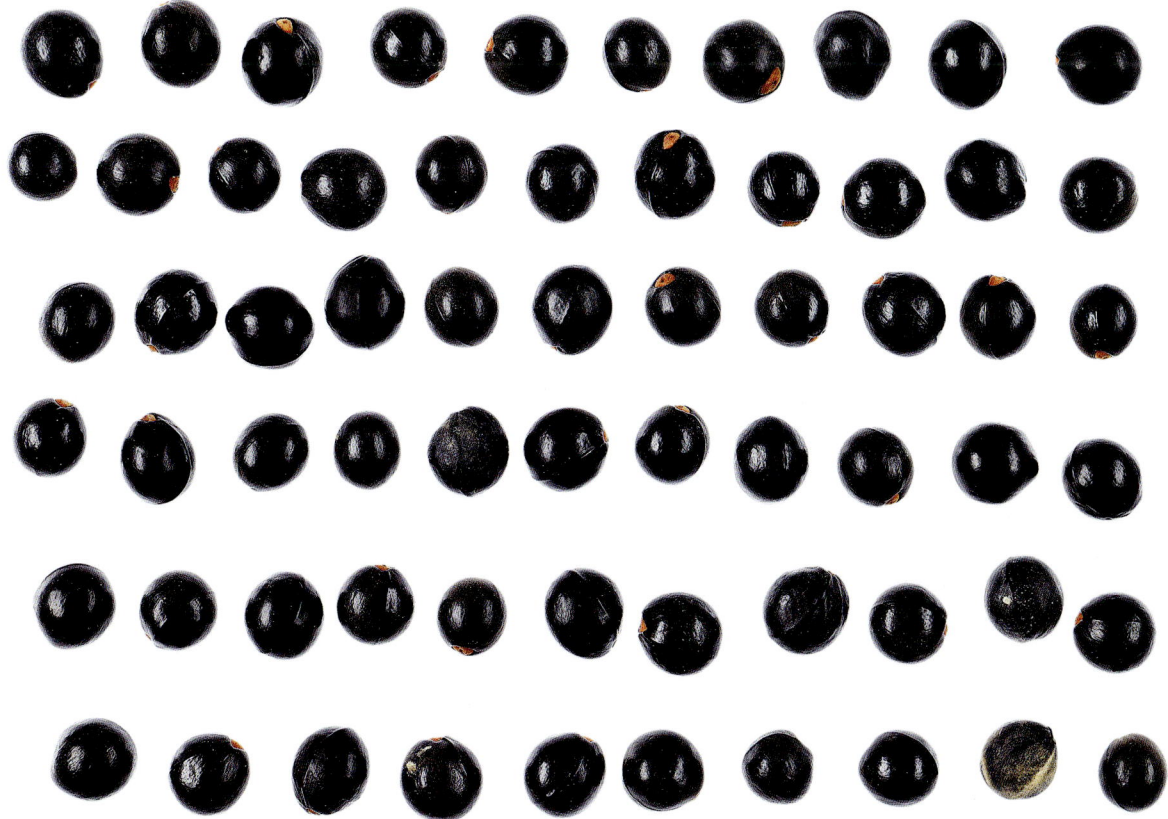

1cm

种子形态结构

种子：圆球形；两侧各具一条纵棱，连成环状；黑色，有光泽；长4.10~5.97mm，宽4.02~5.50mm，厚3.65~5.35mm，重0.0441~0.0938g。

种脐：宽纺锤形；棕色；长1.15~2.19mm，宽0.74~1.79mm；边缘稍凹；位于种子基端。

种皮：外种皮外层为黑色，壳质，厚0.20~0.35mm；内层为纸质，棕色。内种皮为膜质；黄棕色。

胚乳：无。

胚：折叠成球形；乳白色或乳黄色；蜡质；长3.60~4.67mm，宽3.45~4.56mm，厚3.90mm；横生。子叶2枚；长条形，扁平；宽2.20~3.90mm，厚0.50~0.75mm；并合；向内卷曲3.5圈。下胚轴和胚根扁圆柱形；外拱；长3.50~4.00mm，宽1.00~1.35mm，厚0.31~1.10mm；位于子叶外面，并通过外种皮内层和内种皮与子叶分隔；朝向种脐。

▶ **种子的侧面、背面、基部和腹面**

▶ **种子 X 光照**

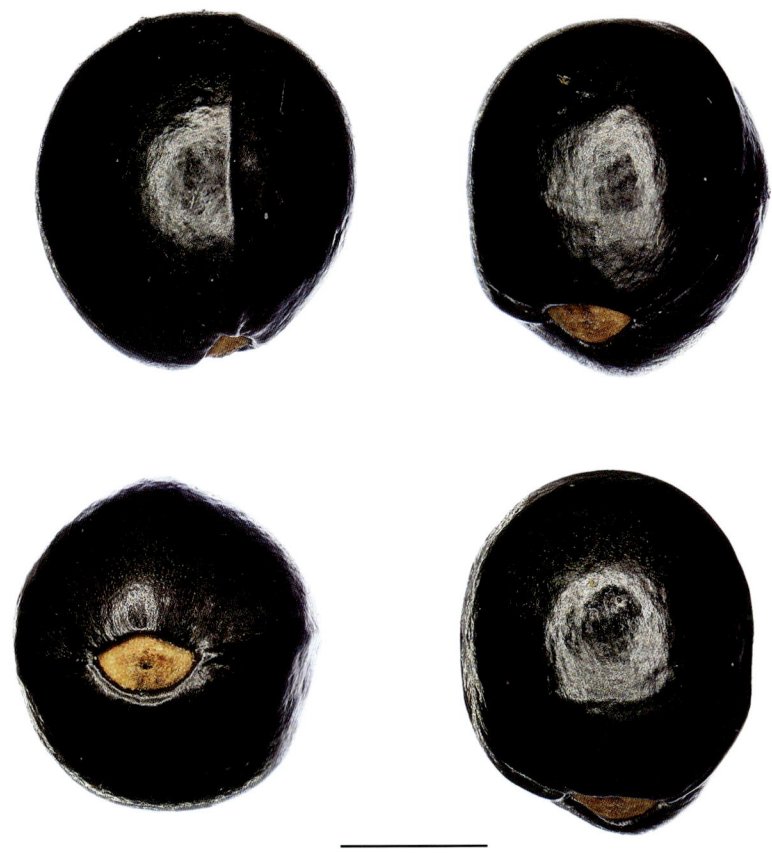

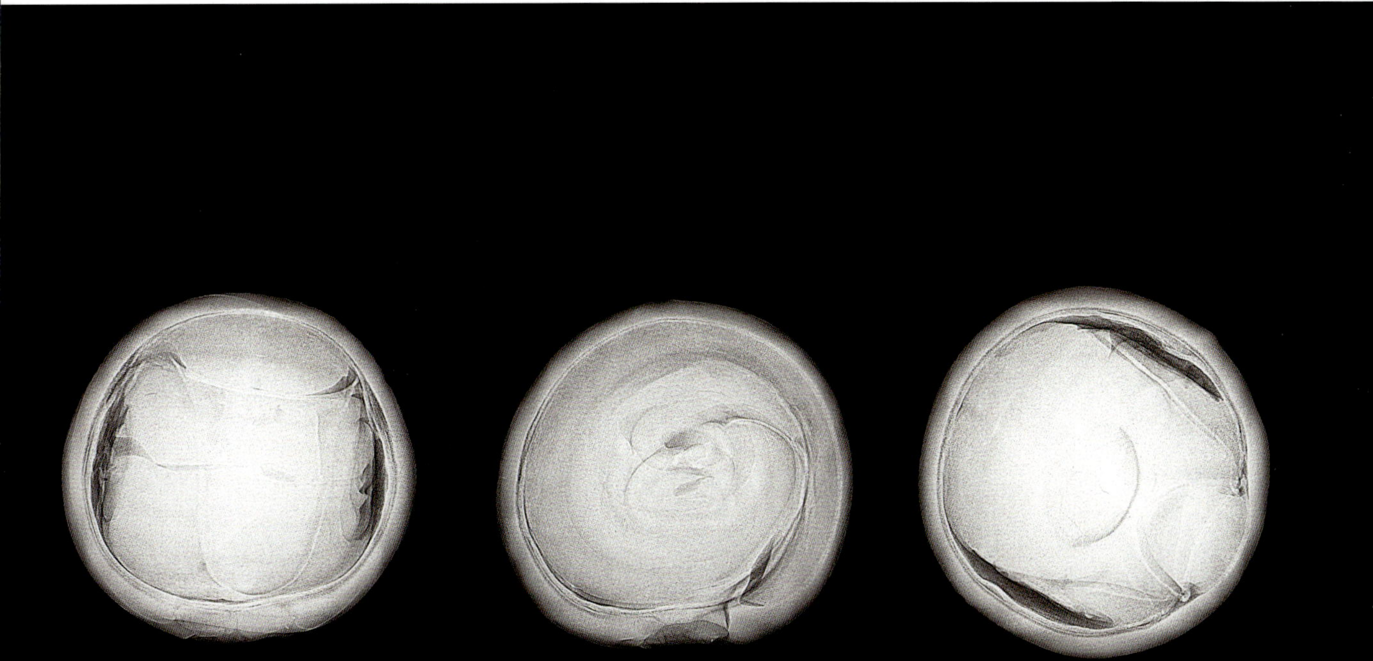

◀ 种子纵切面

2mm

◀ 种子横切面

2mm

▶ 胚

2mm

▶ 萌发中的种子

5mm

无患子科 Sapindaceae

掌叶木
Handeliodendron bodinieri (H. Lév.) Rehder

保护级别 二级

植株生活型
落叶乔木或灌木，高1~15m。

分　　布
产于广西、贵州。生于海拔500~900m的石灰岩山林缘、林中空地、水冲沟或溶洞、岩石裂缝中。

经济价值
种子含油量高，仅种仁含油量就达52.6%；油质好，脂肪酸中油酸占26.9%、亚油酸占6.1%、花生烯酸占15.5%、芥酸占33.9%；油清澈而有香味，故不仅可食用，还可作为工业用油。

科研价值
中国特有单种属植物和第三纪孑遗植物，其系统位置介于无患子科与七叶树科之间，对阐明上述两科的亲缘关系和研究无患子科的系统发育具有重要价值。

濒危原因
分布区狭窄；生境破坏严重；种子被过度采集榨油，且易被动物取食，导致种群天然更新困难。

▶ 果枝

花果期
花期3—5月，果期7—10月。

果实形态结构
蒴果；梨形；红褐色，表面具斑驳杂色；长2.2~3.5cm，宽0.5~1.8cm。果皮厚革质；成熟后3瓣开裂，常含3室，每室含种子1~2粒。基部具长1~1.5cm的果颈。

传播体类型
种子。

传播方式
动物传播。

种子贮藏特性
不耐久藏。

种子萌发特性
去除种皮，在25℃，16h/8h光照，滤纸培养条件下，萌发率为76%。

▶ 种子集

1cm

种子形态结构

种子：椭球形；棕褐色至黑色，有光泽；腹面中央具一纵棱，长为种子的一半，基部具由众多白色丝状油囊并合形成的假种皮；长7.45~10.80mm，宽5.77~7.25mm，厚4.79~6.75mm，重0.1015~0.1709g。

种脐：椭圆形；棕色；长1.93~3.03mm，宽1.35~2.33mm；位于种子基端。

种皮：棕褐色至黑色；壳质；厚0.09~0.20mm。

胚乳：无。

胚：大，折叠成球形；乳白色或黄绿色；蜡质，含油脂；长6.44~7.98mm，宽5.06~7.01mm，厚5.10~5.50mm；充满整粒种子。子叶2枚；异形，外面那枚为长椭圆形，顶端窄而圆，平凸；内面那枚为长椭圆形，顶端宽而圆，扁平；长1.05~1.22mm，宽4.75~6.20mm，厚1.60~2.50mm；并合，拳卷状。下胚轴和胚根圆锥形；长4.18~6.88mm，宽2.85~4.35mm，厚0.84~1.66mm；位于子叶外面，并通过外种皮内层和内种皮与子叶分隔；朝向种脐。

▶ **种子的背面、腹面、基部和顶部**

▶ **种子 X 光照**

5mm

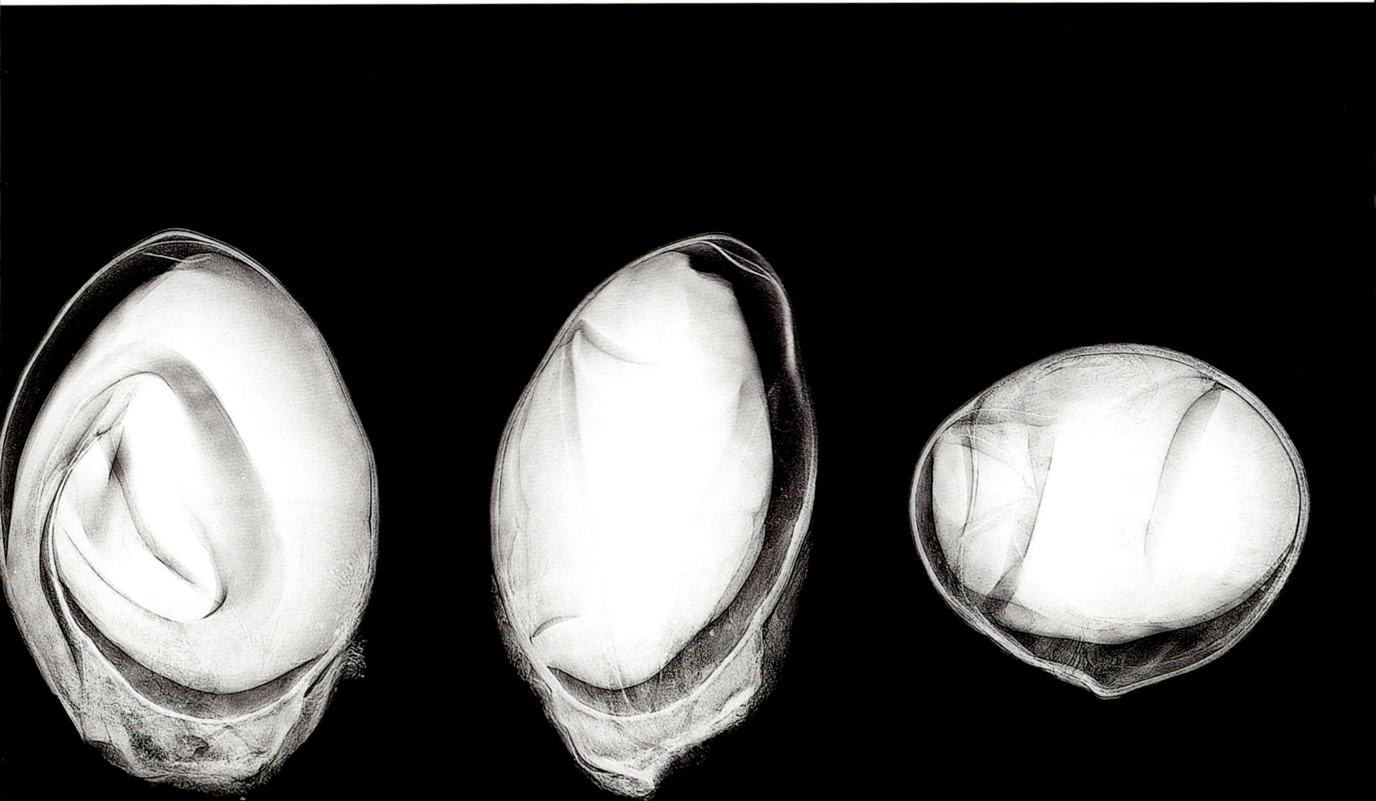

◀ 种子纵切面

5mm

◀ 种子横切面

1mm

▶ 胚

1mm

▶ 下胚轴和胚根

2mm

芸香科 Rutaceae

红河橙
Citrus hongheensis Y. M. Ye, X. D. Liu, C. S. Ding & M. Q. Liang

保护级别 二级

植株生活型
乔木或灌木，高2~10m。

分　　布
产于云南。生于海拔800~2000m的山坡杂木林中。

经济价值
幼果可作中药；成熟叶片可作牛羊肉调味的辛香料。

科研价值
中国特有植物，对研究中国植物区系的起源与演化具有重要价值，还可作柑橘的抗旱育种和砧木利用材料。

濒危原因
分布区狭窄；生境破坏严重；过度砍伐和利用。

附注： 本种拉丁名*Citrus hongheensis* Y. M. Ye, X. D. Liu, C. S. Ding & M. Q. Liang为异名，已修订，接受名为*Citrus cavaleriei* H. Lév. ex Cavalier。

▶ 植株

花果期

花期3—4月，果期10—11月。

果实形态结构

柑果球形；表面凹凸不平；幼时绿色，成熟后为黄色；长4.50~9.03cm，宽9.20~12.00cm，厚8.61~9.77cm，重302.00~487.20g。外果皮黄色；革质；内部散生众多油胞。中果皮白色；海绵质。内果皮白色；外表面厚膜状，薄而有韧性，将果实内部分成10~13室（囊瓣），内表面向内生出众多纺锤形、肉而多汁的黄色汁胞（实为囊状腺毛），聚集成团，包围着位于胎座上的种子。

◀ 花

▶ 未成熟果实

▶ 成熟果实

传播体类型
果实。

传播方式
动物传播。

种子贮藏特性
顽拗型种子。忌失水,不耐低温,亦不耐久藏。

种子萌发特性
无休眠。用45℃水浸种24h,然后置于垫有纱布或滤纸的培养皿内,在25~28℃恒温箱内培养,新鲜种子1周后即可萌发。

◀ 果实横切面

▶ 种子集

2cm

种子形态结构

种子：不规则倒卵形；顶端平截，表面具横棱或斜棱；黄白色或黄色；长11.48~17.87mm，宽8.23~13.69mm，厚3.49~6.98mm，重0.1108~0.3115g。

种脐：倒卵形或窄长卵形；黄白色；长4.90~9.30mm，宽0.30~1.10mm；凹；位于种子一侧的中下部。

种皮：外种皮纸质；黄白色或黄色；厚0.16~0.27mm。内种皮纸质；黄棕色；厚0.01~0.02mm；紧贴胚。

胚乳：无。

胚：宽倒卵形；表面具棱；乳白色或黄白色；蜡质，含油脂；长8.20~10.75mm，宽6.50~9.90mm，厚3.00~4.63mm；直生于种子中央。子叶2枚；倒卵形，一片稍扁，另一片平凸；长7.30~10.30mm，宽6.50~9.90mm，厚0.90~2.69mm；并合。下胚轴和胚根圆锥形；长0.75~1.34mm，宽1.00~1.07mm，厚0.62~1.30mm；朝向种子基端。

▶ 种子的背面、腹面、侧面和基部

▶ 种子X光照

4mm

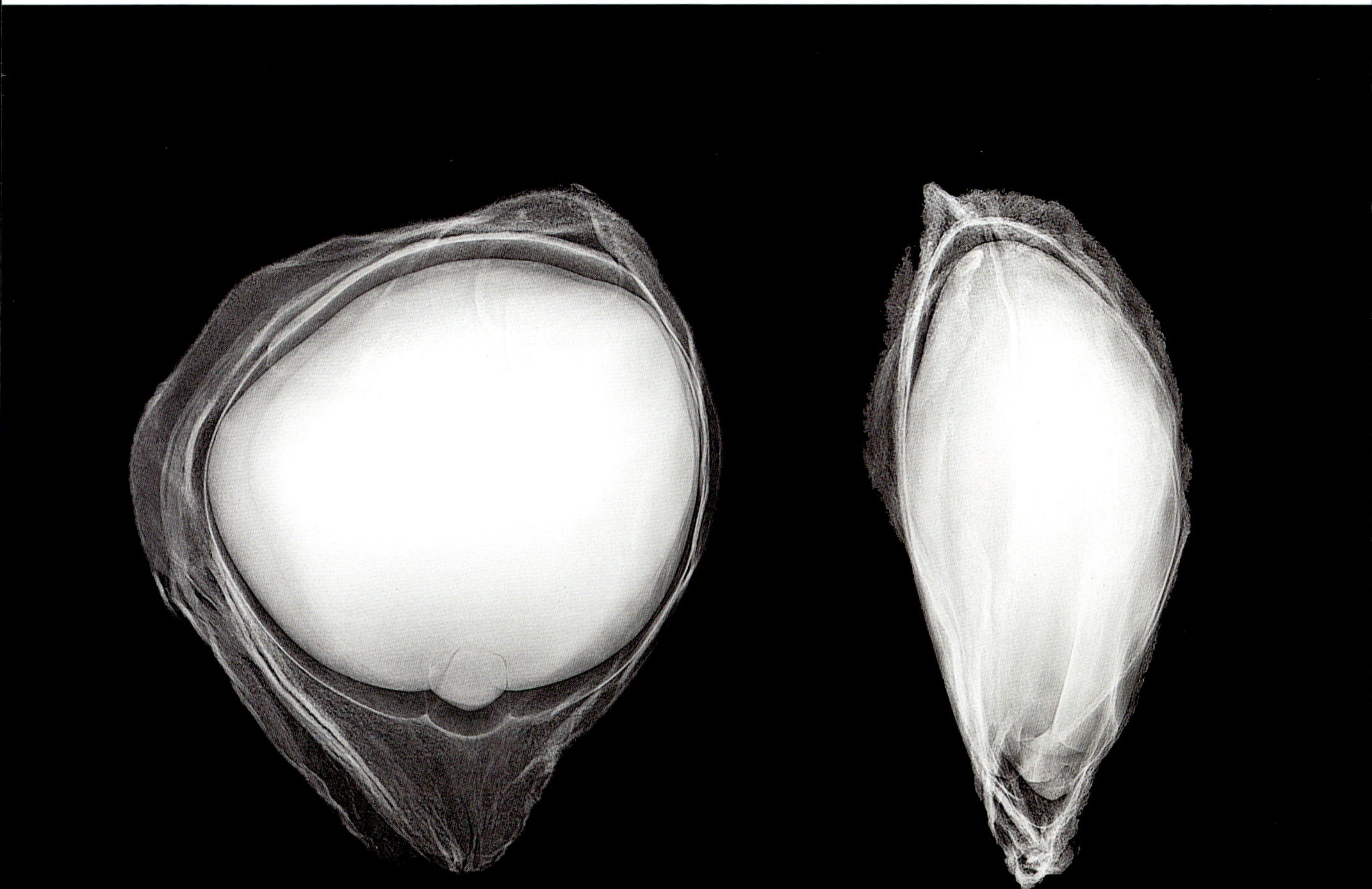

◀ 种子纵切面

◀ 种子横切面

◀ 胚

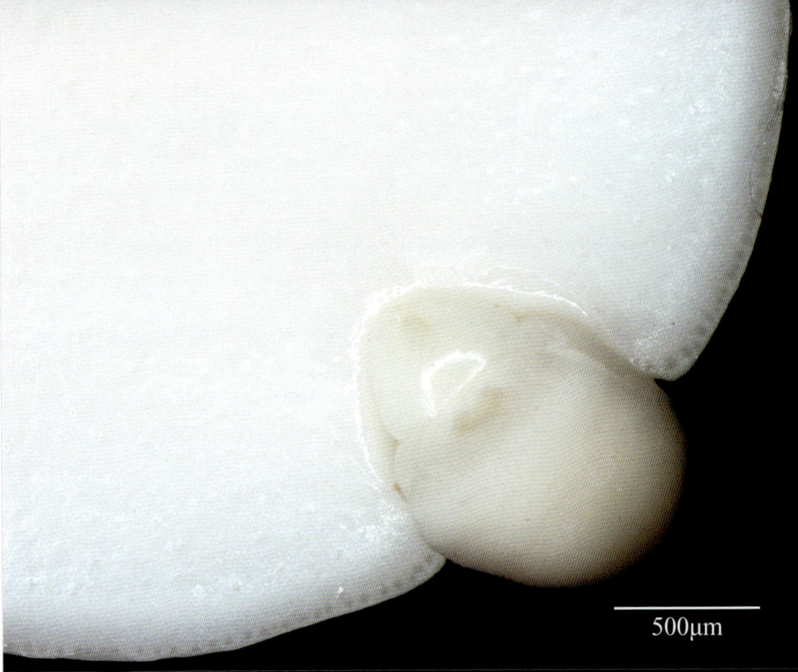

▶ 胚芽和胚根

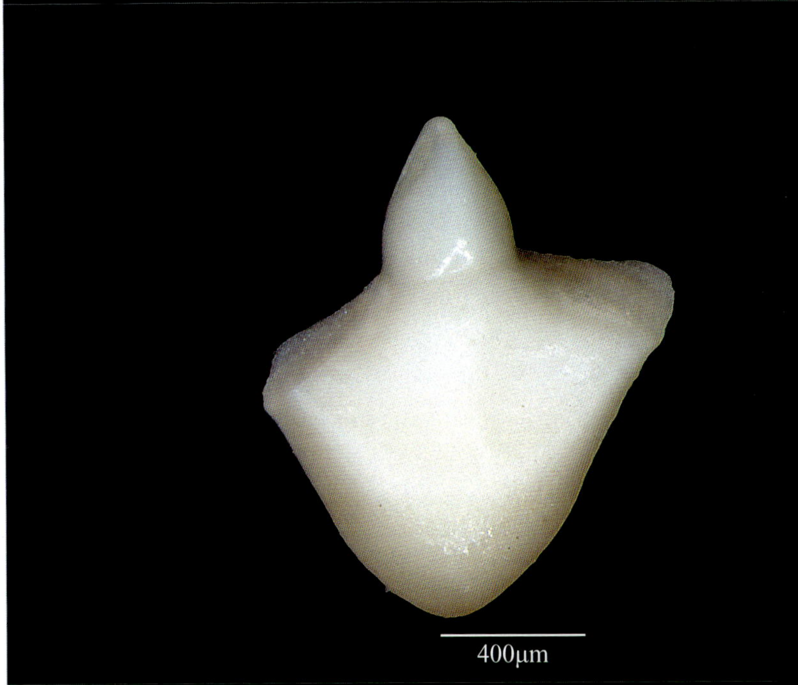

500μm

400μm

▶ 幼苗

芸香科 Rutaceae

黄檗

Phellodendron amurense Rupr.

保护级别 二级

植株生活型
落叶乔木，高10~30m，胸径0.5~1m。

分　　布
产于北京、天津、河北、内蒙古、辽宁、吉林、黑龙江、河南、安徽、宁夏、山东和山西。生于海拔200~1100m的河谷及山地中下部的阔叶林或阔叶混交林中。此外，朝鲜、日本、俄罗斯、中亚和欧洲东部也有分布。

经济价值
珍贵用材树种；果实可提芳香油；干燥树皮可入药，具清热燥湿、泻火除蒸、解毒疗疮功效，能治疗湿热泻痢、黄疸尿赤、带下阴痒、热淋涩痛、脚气痿躄、骨蒸劳热、盗汗、遗精、疮疡肿毒、湿疹湿疮。

濒危原因
生境破坏严重；过度砍伐；长期利用。

▶ 植株

花果期
花期5—6月,果期9—10月。

果实形态结构
核果;椭球形;长9.70~11.60mm,宽9.25mm,厚8.96mm;幼时绿色,成熟后为黑色,表面散生褐色腺点;新鲜时表面光滑,干后则皱缩而具浅沟;基部具长2.80mm、宽2.10mm的黄褐色短柱形果梗。外果皮薄;黑色;革质。中果皮(果肉)棕褐色;胶质,黏;布满油囊,具油脂气;内含果核3~5粒。果核卵形,一侧直而一侧圆拱;表面具不规则浅棱;棕褐色或褐色;长4.27~6.82mm,宽2.55~3.65mm,厚1.01~3.78mm,重0.0114~0.0250g。内果皮外表面为棕褐色或褐色,内表面为黄棕色;壳质,厚0.08~0.35mm。

传播体类型
果实。

传播方式
动物传播。

种子贮藏特性
正常型种子。在室温条件下贮藏,寿命为2年。

种子萌发特性
具生理休眠。在20℃,12h/12h光照条件下,含200mg/L GA_3 的1%琼脂培养基上,萌发率为58%;而在20℃,12h/12h光照条件下,含200mg/L GA_3 的1%琼脂培养基上,42d剥去内果皮,萌发率为75%。

▶ 果序

▶ 果实的背面、腹面和基部

4cm

5mm

种子形态结构

种子：卵形；黄白色或黄色；长3.39~5.40mm，宽2.19~3.25mm，厚1.40~1.55mm。

种脐：椭圆形；棕色；长0.60~0.70mm，宽0.35~0.40mm；位于种子一侧的近基部。

种皮：黄白色或黄色；膜状胶质；紧贴胚乳。

胚乳：含量中等，厚0.35~0.65mm；白色；肉质，富含油脂；包着胚。

胚：倒卵形，扁平；白色或乳黄色；肉质，含油脂；长4.03~4.85mm，宽2.40~3.02mm，厚0.38~0.50mm；直生于种子中央。子叶2枚；倒卵形，扁平；长2.90~4.01mm，宽2.00~3.05mm，厚0.20~0.33mm；并合。下胚轴和胚根椭圆形或近圆形；长0.80~1.34mm，宽0.59~1.05mm，厚0.31~0.72mm；朝向种子顶端。

▶ 果核的侧面、腹面和背部

▶ 果核 X 光照

◀ 种子的背面和侧面

1mm

◀ 果核横切面

2mm

▶ 果核纵切面

2mm

▶ 胚

1mm

芸香科 Rutaceae

川黄檗
Phellodendron chinense **C. K. Schneid.**

植株生活型
乔木，高10~15m。

分　　布
产于陕西、甘肃、安徽、河南、湖北、湖南、江苏、浙江、重庆、四川、贵州、云南、广东、广西和福建。生于海拔约900m的杂木林中。

经济价值
树皮可入药，内服具祛风行气、散寒、消滞、健胃止痛等功效；外用具消风散气、入肝脾经等功效，能治疗心胃气痛、伤风感冒和流感、食滞胃病、疝气等症。此外，种子可榨油。

科研价值
中国特有植物，对研究中国植物区系的起源与演化具有重要价值。

濒危原因
生境破坏严重；过度砍伐；长期利用。

▶ 果枝

保护级别 二级

花果期
花期5—6月，果期9—11月。

果实形态结构
核果，浆果状；球形，直径为1~1.5cm；幼时绿色，成熟后为蓝黑色。外果皮薄；蓝黑色；革质。中果皮胶质，布满油囊，具油脂气。去除外果皮和中果皮后的果核为卵形或近椭圆形，一侧直而另一侧圆拱；表面具粗网纹；棕色、棕褐色或褐色；长4.13~6.90mm，宽2.35~3.84mm，厚1.47~2.48mm，重0.0074~0.0210g。内果皮棕色、棕褐色或褐色；壳质；厚0.14~0.36mm。果疤为长纺锤形；黄棕色；长3.05mm，宽0.25mm，位于较直一侧的中部。

传播体类型
果实。

传播方式
动物传播。

种子贮藏特性
正常型种子。在低温干燥条件下贮藏，寿命可达14年以上。

种子萌发特性
在10℃层积91d，然后在30℃/20℃，12h/12h光照条件下，1%琼脂培养基上，萌发率为58%。

▶ 果序

▶ 果核群

种子形态结构

种子：卵形或近椭圆形；一侧直而另一侧圆拱；黄色或乳白色；长3.84~5.80mm，宽1.98~3.36mm，厚1.20~1.75mm。

种脐：椭圆形；棕色；长0.75~0.95mm，宽0.45~0.55mm；位于种子一侧的近基部。

种皮：黄色或乳白色；膜状胶质；紧贴胚乳。

胚乳：含量中等；厚0.40~0.50mm；白色或黄色；肉质，富含油脂；包着胚。

胚：椭球形；白色，或略带黄色；肉质；含油脂；长3.75~4.85mm，宽2.60~2.80mm，厚0.85~1.00mm；直生于种子中央。子叶2枚；椭圆形；长3.29~4.84mm，宽2.38~2.85mm，厚0.35~0.50mm；并合。胚根圆球形或倒卵形；长0.76~1.18mm，宽0.70~1.00mm，厚0.70mm；朝向种子顶端。

▶ 果核的背面、侧面和基部

▶ 果核 X 光照

2mm

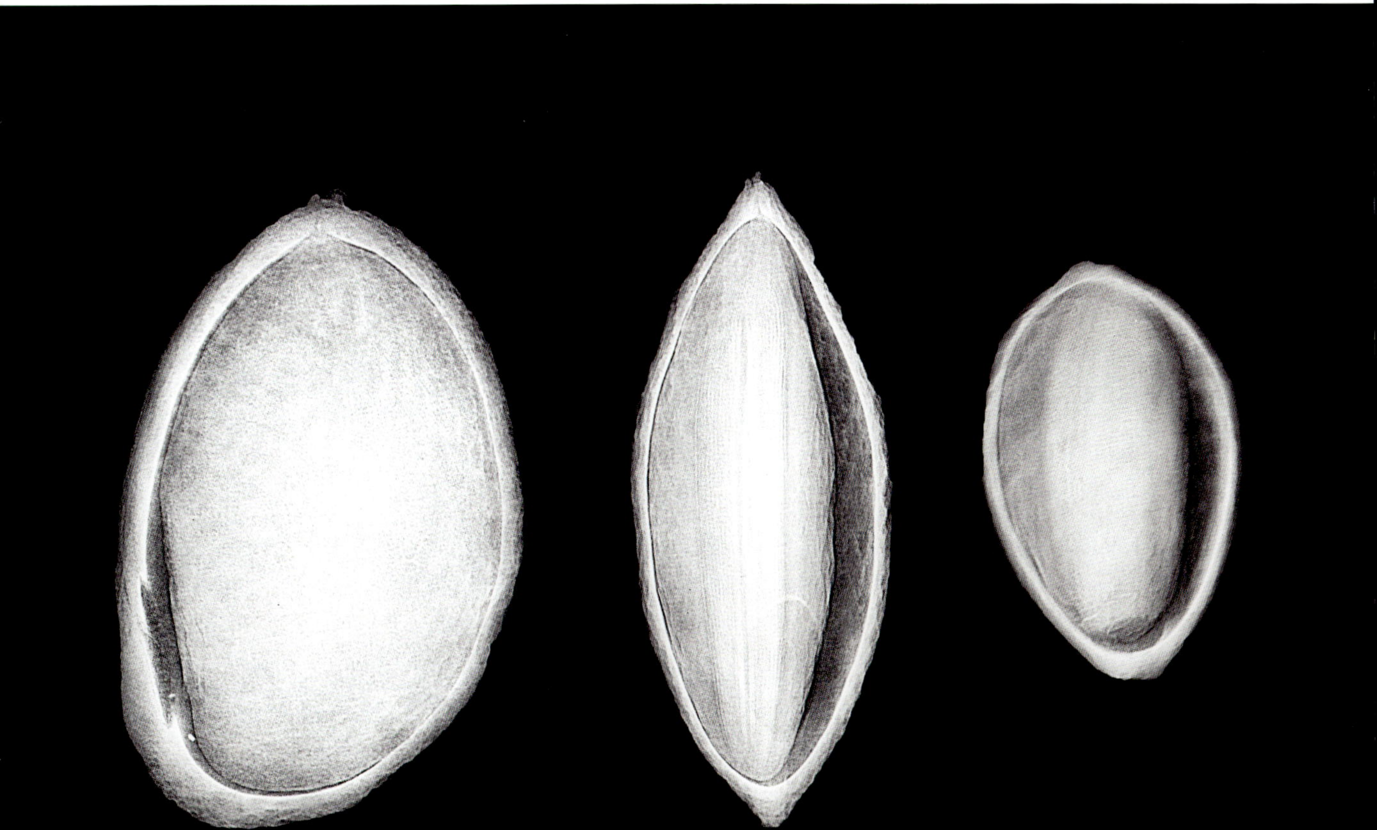

◀ 种子的背面和侧面

1mm

◀ 种子纵切面

1mm

▶ 种子横切面

1mm

▶ 胚

1mm

▶ 萌发中的种子

楝科 Meliaceae

红椿
Toona ciliata **M. Roemer**

保护级别 二级

植株生活型
落叶或半落叶乔木，高达35m，胸径1m。

分　　布
产于安徽、福建、海南、广东、广西、江西、湖北、湖南、贵州、重庆、四川、云南和西藏。生于海拔300~1800m的山谷林中。此外，孟加拉国、不丹、柬埔寨、印度、印度尼西亚、老挝、马来西亚、缅甸、尼泊尔、巴基斯坦、巴布亚新几内亚、菲律宾、斯里兰卡、泰国、越南、澳大利亚及太平洋诸岛西部也有分布。

经济价值
中国珍贵的用材树种，有"中国桃花心木"之称。此外，是优良的园林绿化树种；根皮具药用价值，有清热燥湿、收涩、杀虫功效，能治疗久泻、久痢、肠风便血、崩漏、带下、遗精、白浊、疳积、蛔虫疮癣等症；树皮含鞣酸（单宁）11%~18%，可提制栲胶。

濒危原因
过度砍伐；种子易丧失活力，寿命短。

▶ 植株

花果期
花期4—6月，果期10—12月。

果实形态结构
蒴果；倒卵形或椭球形；表面密被苍白色皮孔；棕色至黑褐色；长2~3.5cm，宽8~10mm。果皮厚；木质；成熟后室轴开裂为5瓣；内含5室，每室含种子8~10粒。

传播体类型
种子。

传播方式
风力传播。

种子贮藏特性
正常型种子。在低温干燥条件下贮藏，寿命可达4年以上。

种子萌发特性
在20℃，12h/12h光照条件下，1%琼脂培养基上，萌发率为95%。

▶ 果实

▶ 种子集

种子形态结构

种子： 倒卵形，扁平，斜生；两侧各具一大一小、长3.19~9.70mm、宽3.88~5.67mm、厚0.01~0.04mm的卵形膜质翅；黄棕色或棕色，有光泽；长16.90~27.19mm，宽2.36~6.52mm，厚0.42~0.93mm，重0.0045~0.0097g。

种脐： 近圆形；黄棕色；长0.22~0.33mm，宽0.22~0.31mm；位于种子中部的凹陷处。

种皮： 外种皮外层为黄棕色，膜质；内层为乳白色，海绵质。内种皮为黄棕色；膜状胶质；紧贴胚乳。

胚乳： 含量中等；黄色；蜡质；包着胚。

胚： 椭圆形；黄色；长5.20~6.00mm，宽1.98~2.40mm，厚0.22~0.24mm；斜生于种子中央。子叶2枚；椭圆形，扁平；长3.75~4.70mm，宽1.98~2.56mm，厚0.11~0.12mm；并合。胚根扁圆柱形；长1.15~1.92mm，宽0.50~0.65mm，厚0.22~0.24mm；位于子叶基部，偏一侧；朝向与种脐相对的另一端的斜上方。

▶ 种子的侧面、腹面和背面

▶ 种子 X 光照

5mm

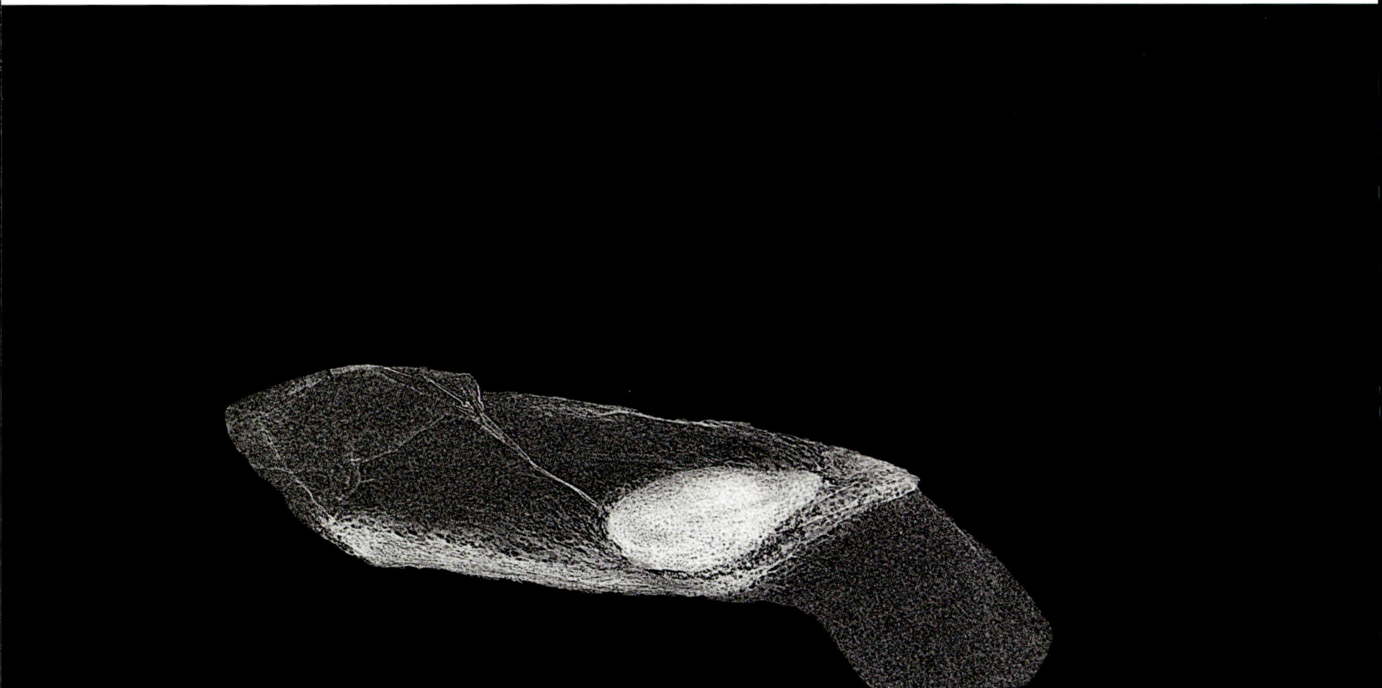

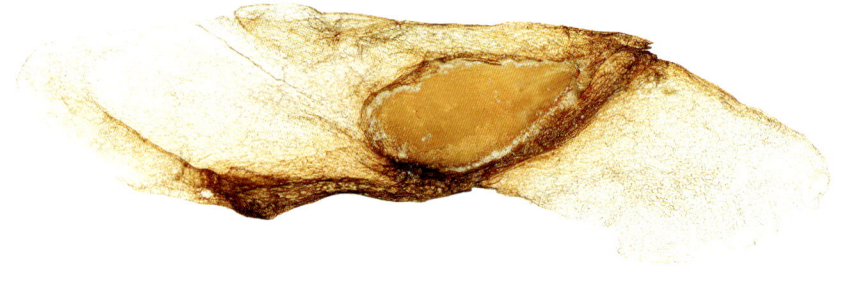

◀ 种子纵切面

5mm

◀ 种子横切面

1mm

► 胚

1mm

锦葵科 Malvaceae

滇桐

Craigia yunnanensis W. W. Smith & W. E. Evans

保护级别 二级

植株生活型
落叶乔木，高6~25m。

分　　布
产于云南、广西、贵州和西藏。生于海拔1000~1500m的山地、沟谷中。此外，缅甸和越南也有分布。

经济价值
优良的用材树种。

科研价值
为东亚特有植物，同时也是寡种属滇桐属的主要树种之一，对确定滇桐属的系统位置具有重要价值。

濒危原因
生境破坏严重；过度砍伐；种群数量极少，幼树生长缓慢，易受干扰，天然更新困难。

▶ 植株

花果期
花期7—9月，果期9—12月。

果实形态结构
蒴果；椭球形；具5片宽1~1.5cm的纸质翅，翅上具二歧分叉的放射状脉纹，表面具星状毛；新鲜时为红色，干后为黄色至黄棕色；长3~3.3cm，宽1~1.5cm。每室含种子4~6粒，排成2列。

传播体类型
果实。

传播方式
风力传播。

种子贮藏特性
正常型种子。

种子萌发特性
新鲜种子在20℃，12h/12h光照条件下，1%琼脂培养基上，萌发率为96%。

◀ 干燥果实

▶ 新鲜果实的腹面、背面和顶部

▶ 种子集

2cm

1cm

种子形态结构

种子： 倒卵形；腹平背拱；棕色或棕褐色；长4.94~10.38mm，宽1.20~4.14mm，厚1.16~2.99mm，重0.0091~0.0390g。

种脐： 长椭圆形；黄色；长1.05~1.90mm，宽0.15~0.35mm；位于腹面一侧的中下部。

种皮： 棕色或棕褐色；纸质；厚0.05~0.10mm。

胚乳： 含量中等；厚0.70mm；乳白色；半蜡半胶质，含油脂；包着胚。

胚： 卵形；蜡质，含油脂；长6.10~8.00mm，宽2.22~3.40mm，厚0.07~0.27mm；直生于种子中央。子叶2枚；卵形，扁平，边缘具波状缺刻；黄色或黄绿色；长4.20~5.20mm，宽2.13~3.40mm，厚0.07~0.13mm；并合或中部分离。下胚轴和胚根圆柱形，稍弯；黄色或绿色；长2.04~3.50mm，宽0.40~1.00mm，厚0.49~0.69mm；朝向种子基端。

▶ 种子的侧面、腹面和背面

▶ 种子 X 光照

2mm

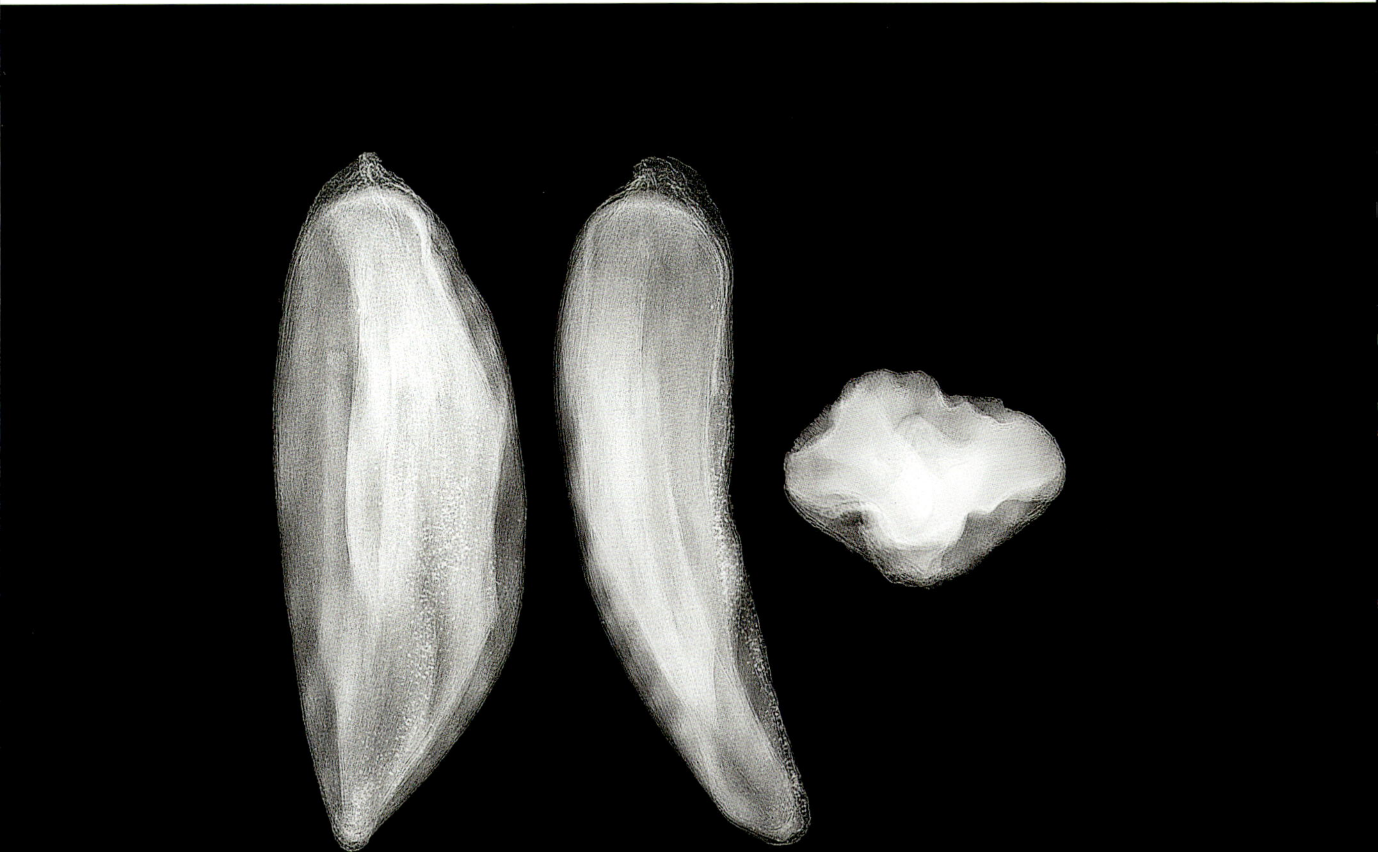

◀ 种子纵切面

2mm

◀ 种子横切面

1mm

▶ 胚

2mm

▶ 幼苗

1cm

锦葵科 Malvaceae

丹霞梧桐

Firmiana danxiaensis H. H. Hsue & H. S. Kiu

保护级别 二级

植株生活型
乔木，高3~8m。

分　　布
产于广东。生于海拔约250m的岩壁石缝中及山谷的浅土层中。

经济价值
观赏和造林树种。

科研价值
中国特有植物，对研究中国植物区系的起源与演化具有重要价值。

濒危原因
分布区狭窄；过度砍伐；种群过小。

▶ 植株

花果期

花期5—6月，果期6—7月。

果实形态结构

蓇葖卵状披针形；新鲜时为黄绿色或枯黄色中略带红色，干后为黄棕色；长8~10cm；成熟后沿腹缝线开裂；内含种子1~3粒。

传播体类型

种子或果实。

种子贮藏特性

正常型种子。在低温干燥条件下贮藏，寿命可得到有效延长。

种子萌发特性

具物理休眠。

▶ 叶

▶ 种子集

1cm

种子形态结构

种子： 球形；新鲜时为黄绿色，光滑而饱满，干后为棕色、棕褐色或褐色，表面皱缩成负网纹；长6.04~8.26mm，宽6.20~7.85mm，厚5.68~7.33mm，重0.0485~0.1594g。

种脐： 矩圆形；黄色或灰黄色；长3.56~5.22mm，宽0.80~1.86mm；横生于基部中央。

种皮： 外种皮外层为棕色或褐色，胶质，厚0.06~0.07mm；内层为黑褐色，角质，厚0.27~0.29mm。内种皮为粉色；纸质；厚0.02~0.04mm。

胚乳： 含量中等；厚1.04~1.53mm；乳白色；半肉半胶质，含油脂；包着胚。

胚： 倒三角形；黄色；蜡质，含油脂；长4.50~4.60mm，宽3.65~5.50mm，厚0.22~0.24mm；直生于种子中央。子叶2枚；倒三角形，扁平；长4.10mm，宽3.65~5.50mm，厚0.13~0.19mm；并合。下胚轴和胚根椭球形；长1.40mm，宽0.95mm，厚1.00mm；朝向种脐。

▶ **种子的背面、腹面和基部**

▶ **种子 X 光照**

5mm

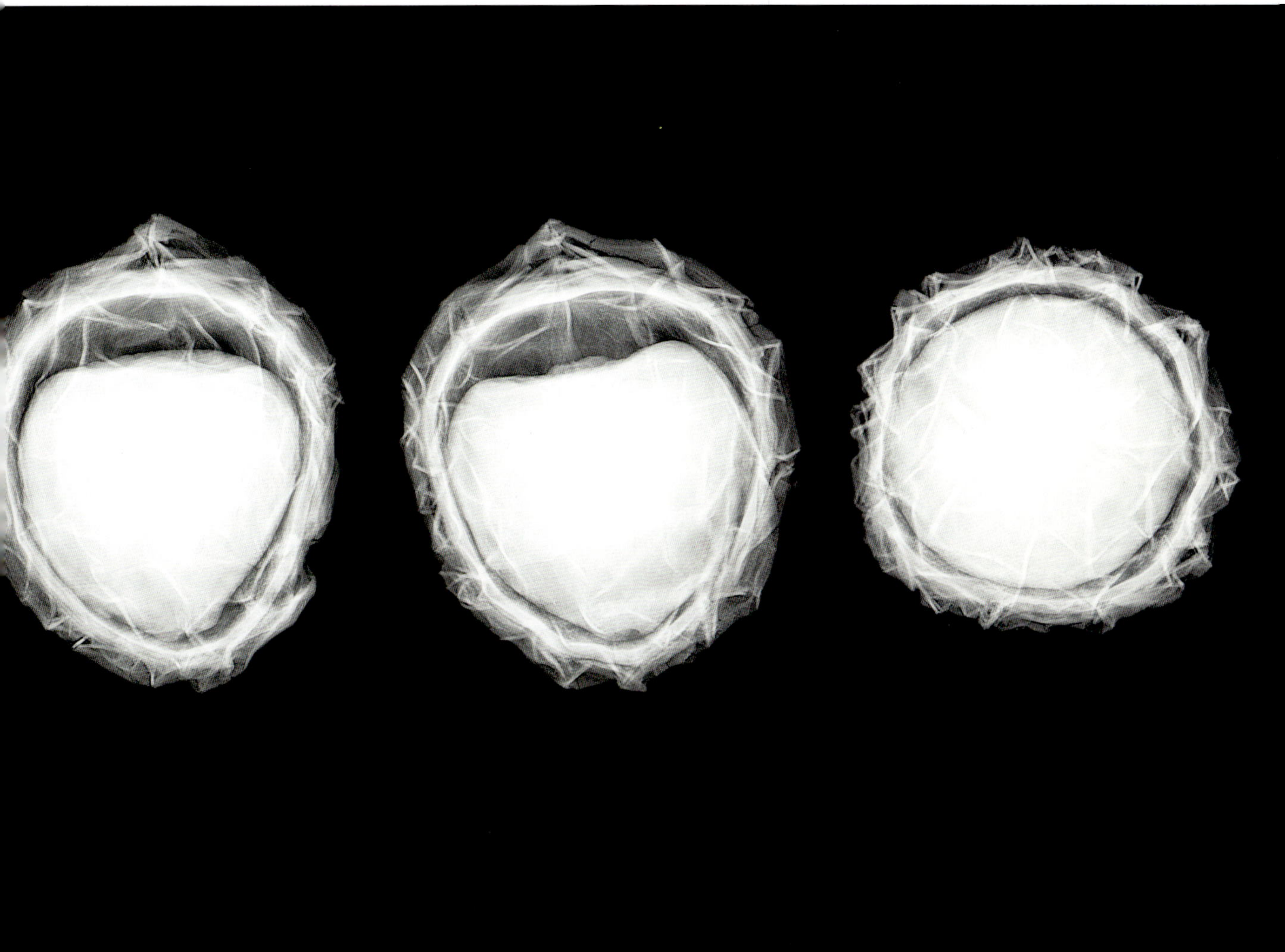

◀ 种子纵切面

5mm

◀ 种子横切面

5mm

▶ 胚正面

2mm

▶ 胚基部

1mm

锦葵科 Malvaceae

云南梧桐

Firmiana major (W. W. Sm.) Hand.-Mazz.

植株生活型
落叶乔木，高达15m。

分　　布
产于云南和四川。生于海拔1600~3000m的山地或坡地、村边和路边。

经济价值
优良的庭园和行道树种。此外，木材轻软、色白，为制作箱匣、乐器的良材；种子可榨油；树皮纤维可造纸、编绳。

科研价值
中国特有植物，对研究中国植物区系的起源与演化具有重要价值。

濒危原因
分布区狭窄；过度砍伐。

保护级别 二级

▶ 植株

花果期

花期6—7月，果期10月。

果实形态结构

蓇葖果5枚。蓇葖卵形或椭圆形；新鲜时为黄绿色，干后为黄棕色；长7cm，宽4.5cm；成熟后沿腹缝线开裂；内含种子1~3粒，均生于果瓣边缘。

传播体类型

种子或果实。

种子贮藏特性

正常型种子。在低温干燥条件下贮藏，寿命可得到有效延长。

种子萌发特性

具物理休眠。剥去种皮，然后在20℃，12h/12h光照条件下，1%琼脂培养基上，萌发率为83%。

▶ 种子集

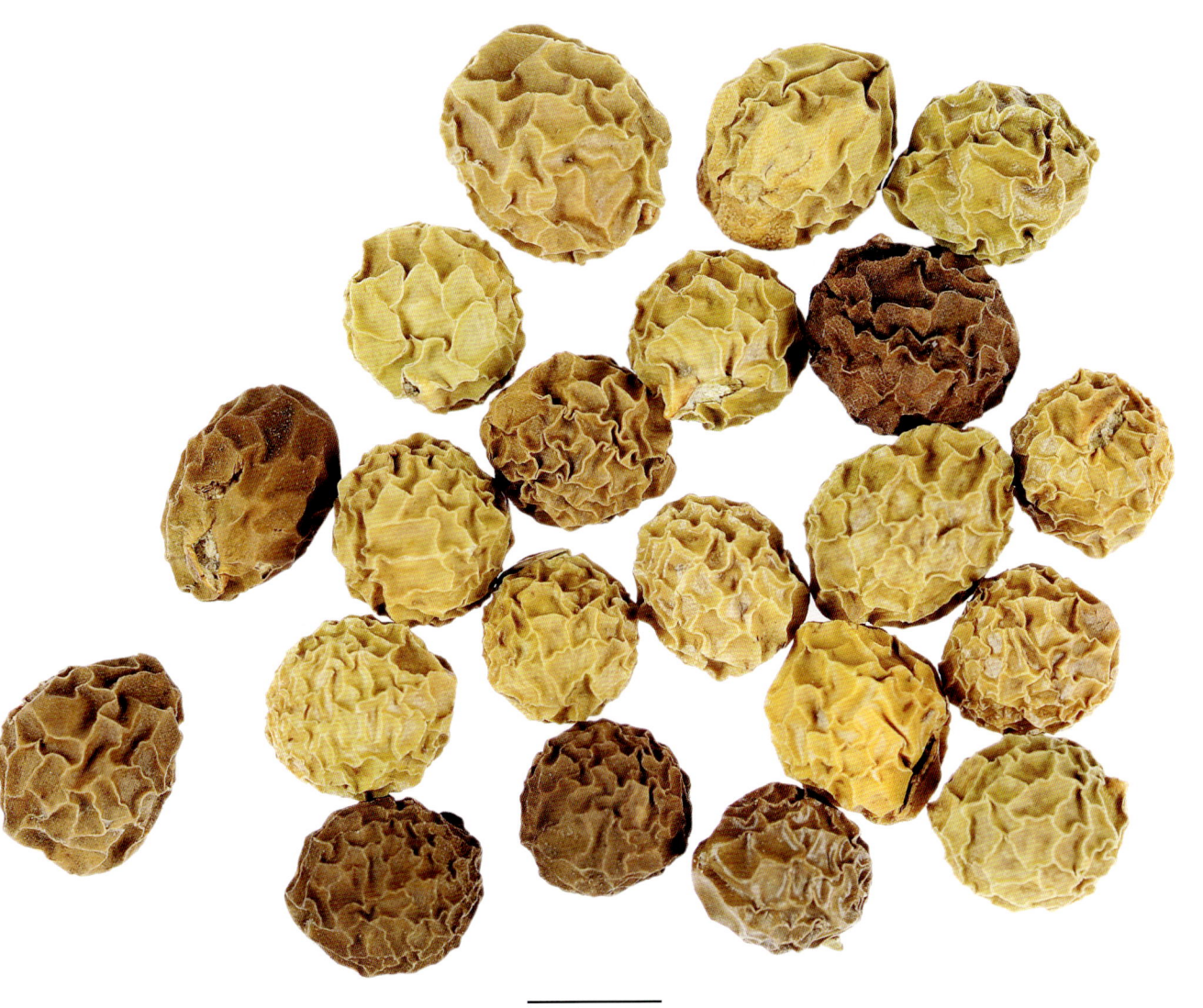

种子形态结构

种子：圆球形；新鲜时为黄绿色，光滑而饱满，干后为黄色、棕色或棕褐色，表面皱缩成负网纹；长8.50~13.71mm，宽8.55~11.49mm，厚8.38~11.32mm，重0.1665~0.4759g。

种脐：纺锤形或长椭圆形；白色；长2.63~5.33mm，宽0.77~1.79mm；稍凹；横生于基部中央。

种皮：外种皮外层为棕色或褐色，胶质，厚0.06~0.07mm；内层为黑褐色，角质，厚0.27~0.29mm。内种皮为白色或粉色；纸质；厚0.09~0.11mm；紧贴胚乳。

胚乳：含量中等；厚1.10~1.70mm；乳白色或表面乳黄色，内部乳白色；蜡质，含油脂；包着胚。

胚：椭圆形或宽倒卵形；黄色或绿色；蜡质，含油脂；长5.20~8.00mm，宽5.70~7.10mm，厚0.29~1.18mm；直生于种子中央。子叶2枚；宽倒卵形，顶端平截；扁平，具叶脉；长5.20~6.90mm，宽5.70~7.10mm，厚0.11~0.22mm；并合或部分分离；弯折于胚乳中。下胚轴和胚根椭球形、近球形或短圆柱形，基端呈小突尖状；长1.30~2.45mm，宽1.30~1.80mm，厚1.25~1.50mm；朝向种脐。

▶ 种子的基部、背面和顶部

▶ 种子 X 光照

5mm

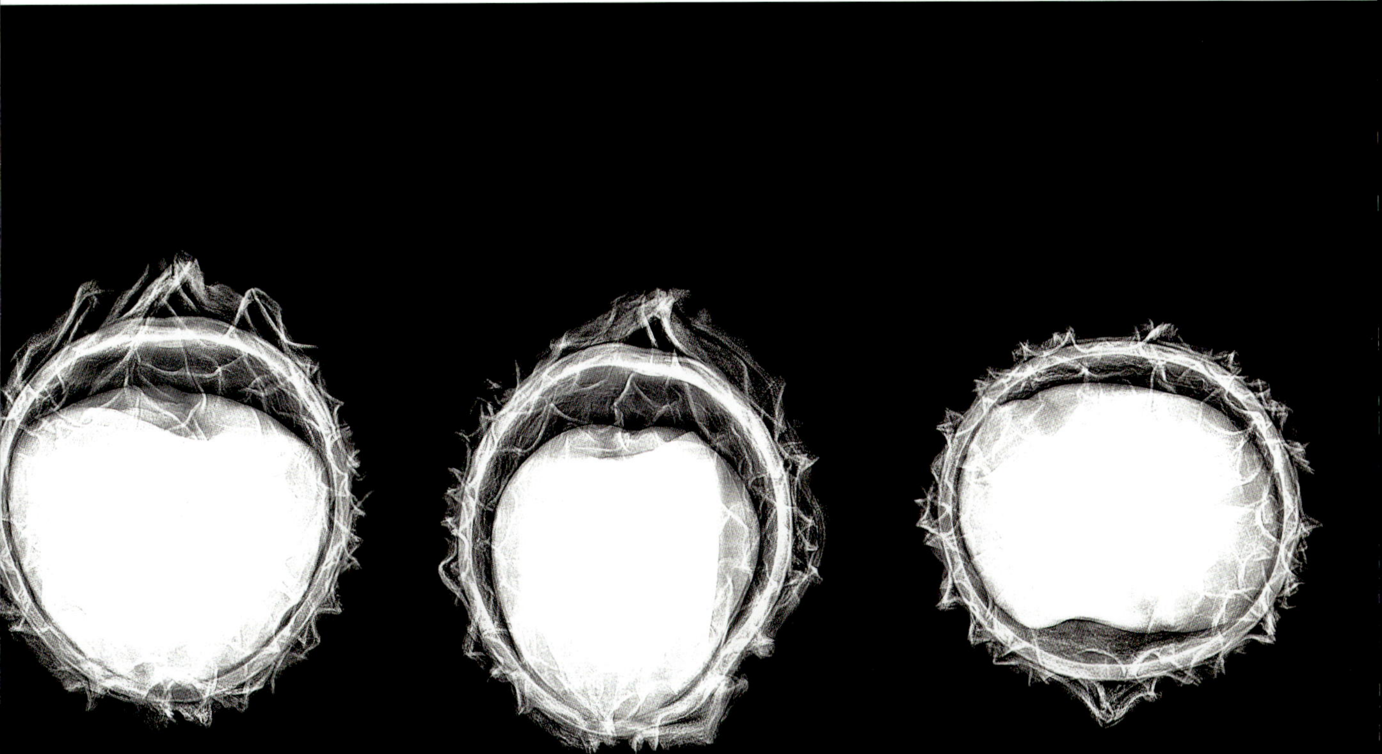

◀ 带外种皮的内层种子

5mm

◀ 种子横切面

5mm

▶ 胚的腹面和侧面

5mm

▶ 萌发中的种子

5mm

锦葵科 Malvaceae

平当树
Paradombeya sinensis **Dunn**

植株生活型
小乔木或灌木，高达5m。

分　　布
产于四川和云南。生于海拔280~1500m山坡上的稀树灌丛草坡中。

经济价值
用材树种。

科研价值
中国特有植物，且花果较为特殊，在系统分类和植物区系研究方面具有重要价值。

濒危原因
分布区狭窄；过度砍伐；外来植物入侵；种群数量少，生长慢，天然更新困难。

保护级别 二级

▶ 花

花果期

花期8—10月，果期11—12月。

果实形态结构

蒴果；近圆球形；长约2.5mm；基部具卵状披针形、长4mm、绿白色或绿褐色的5枚宿存萼片和5枚宽倒卵形、棕褐色、膜状、长约5mm的宿存花瓣，以及长1~1.5cm、具关节的果梗；成熟后纵向深裂为2个分果。分果半球形；幼时绿色，成熟后为黄白色、黄棕色或棕色；表面密布白色星状毛；长3.00~3.15mm，宽2.55~3.30mm，厚1.90~2.25mm。分果果皮外层为黄白色、黄棕色或棕色，内层为白色；壳质；厚0.04mm；成熟后从腹面中央纵向开裂；内含种子1~2粒。

传播体类型

种子。

种子贮藏特性

正常型种子。

1mm

◀ 分果

▶ 带花被的果实

▶ 种子集

种子形态结构

种子：倒卵形；腹平背拱，腹面中央具一条斜沟；棕色或棕褐色；长1.50~4.20mm，宽1.75~2.16mm，厚1.05~1.79mm。

种脐：三角形或卵形；棕色；长0.22~0.31mm，宽0.09~0.16mm；凹；位于种子近基部。

种皮：外种皮外层为棕色或棕褐色，纸状革质，厚0.02mm；内层为棕色或棕褐色，革质，厚0.07~0.09mm。内种皮为棕色；膜质；具细网纹；紧贴胚乳。

胚乳：含量中等；白色；粉质；不完全包着胚。

胚：椭圆形，扁平；黄色；蜡质；长1.53~2.18mm，宽1.16~1.69mm；直生于种子中央。子叶2枚；扁平；折叠成长矩圆形；长1.13~1.42mm，宽1.16~1.69mm，厚0.04~0.07mm；分离。下胚轴和胚根扁圆柱形，稍弯；长0.53~1.22mm，宽0.18~0.29mm，厚0.09~0.20mm；朝向种子基端。

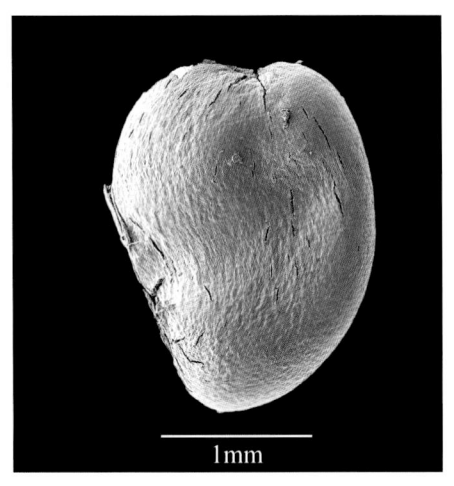

◀ 种子 SEM 照

▶ 种子的背面、腹面、基部和顶部

▶ 种子 X 光照

1mm

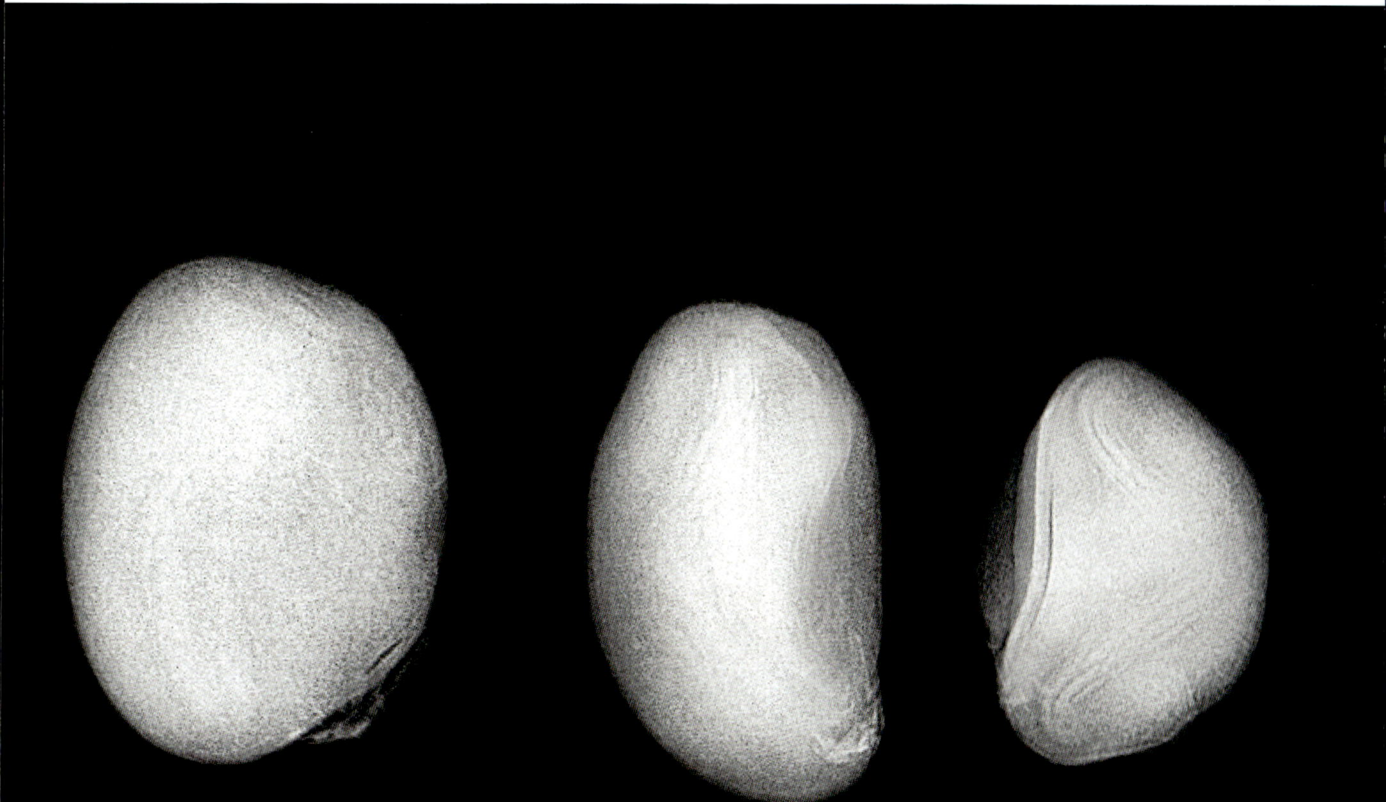

◀ 带内种皮的种子

1mm

◀ 种子横切面

500μm

▶ 种子纵切面

500μm

▶ 种子萌发成苗的过程

1cm

锦葵科 Malvaceae

景东翅子树
Pterospermum kingtungense C. Y. Wu ex H. H. Hsue

保护级别 二级

植株生活型
常绿乔木，高达12m。

分　　布
产于云南。生于海拔1352~1787m的草坡上，原生生境为石灰岩山地季风常绿阔叶林。

经济价值
大径级的优良用材树种。此外，树皮可入药，具清热解毒、祛风湿等功效，能治疗风湿热痹、小儿惊风、痈肿、疮毒和骨折等症。树干通直圆满、树形优美，叶形和果实形态较为独特，是优良的庭园绿化树种。

科研价值
中国特有植物，对研究中国植物区系具有重要价值。

濒危原因
分布区狭窄；生境特殊且破坏严重；过度砍伐；种群数量极少，天然更新困难。

▶ 植株

花果期

花期3—4月，果期9—10月。

果实形态结构

蒴果；卵形或椭球形；具5条棱，表面密被黄棕色绒毛，基部具1~1.2cm长的果颈；棕色至褐色；长5.42~7.69cm，宽3.57~4.88cm，厚3.28~4.76cm，重28.75~64.55g。果皮木质，成熟后5瓣开裂，内具5室，每室含种子2~3粒。

传播体类型

种子。

传播方式

风力传播。

种子贮藏特性

正常型种子。

种子萌发特性

在20℃，12h/12h光照条件下，含200mg/L GA$_3$的1%琼脂培养基上，萌发率为94%。

◀ 未开裂果实

▶ 开裂果实

▶ 种子集

4cm

种子形态结构

种子： 椭圆形或长方形，扁平；表面具粗网纹，顶端具长28.16~35.44mm、宽10.68~16.43mm、厚0.08~0.22mm的长卵形或长矩圆形纸质翅；胚部为棕褐色，翅为棕色；长36.52~48.10mm，宽8.57~12.44mm，厚2.17~3.65mm，重0.135~0.227g。

种脐： 长椭圆形；灰白色；长1.70~4.00mm，宽0.30~0.50mm；稍凹；位于种子一侧的近基部。

种皮： 外种皮外层为褐色，纸质；内层为棕色，胶质。内种皮为棕色或黄棕色；膜状胶质；紧贴胚乳。

胚乳： 含量中等；厚0.09~0.40mm；乳白色，半透明；胶质，硬；包着胚。

胚： 宽倒卵形；乳白色；表面稍皱褶；肉质，富含油脂；长12.09~13.73mm，宽8.81~12.39mm，厚0.49~1.25mm；斜生于种子中。子叶2枚；宽倒卵形，顶部中央稍凹缺，表面凹凸不平，两侧边一前一后地反折向另一面；扁平；长10.52~12.09mm，宽10.30~12.39mm，厚0.13~0.31mm；并合。胚芽圆锥形；长0.27~0.33mm，宽0.20~0.22mm，厚0.16mm；位于胚轴顶端，夹于两子叶中间。下胚轴和胚根圆柱形，稍扁；长3.90~6.27mm，宽1.07~1.64mm，厚0.77~1.20mm；上半部夹于子叶中央；朝向种子基端。

▶ 种子的背面、腹面和侧面

▶ 种子X光照

1cm

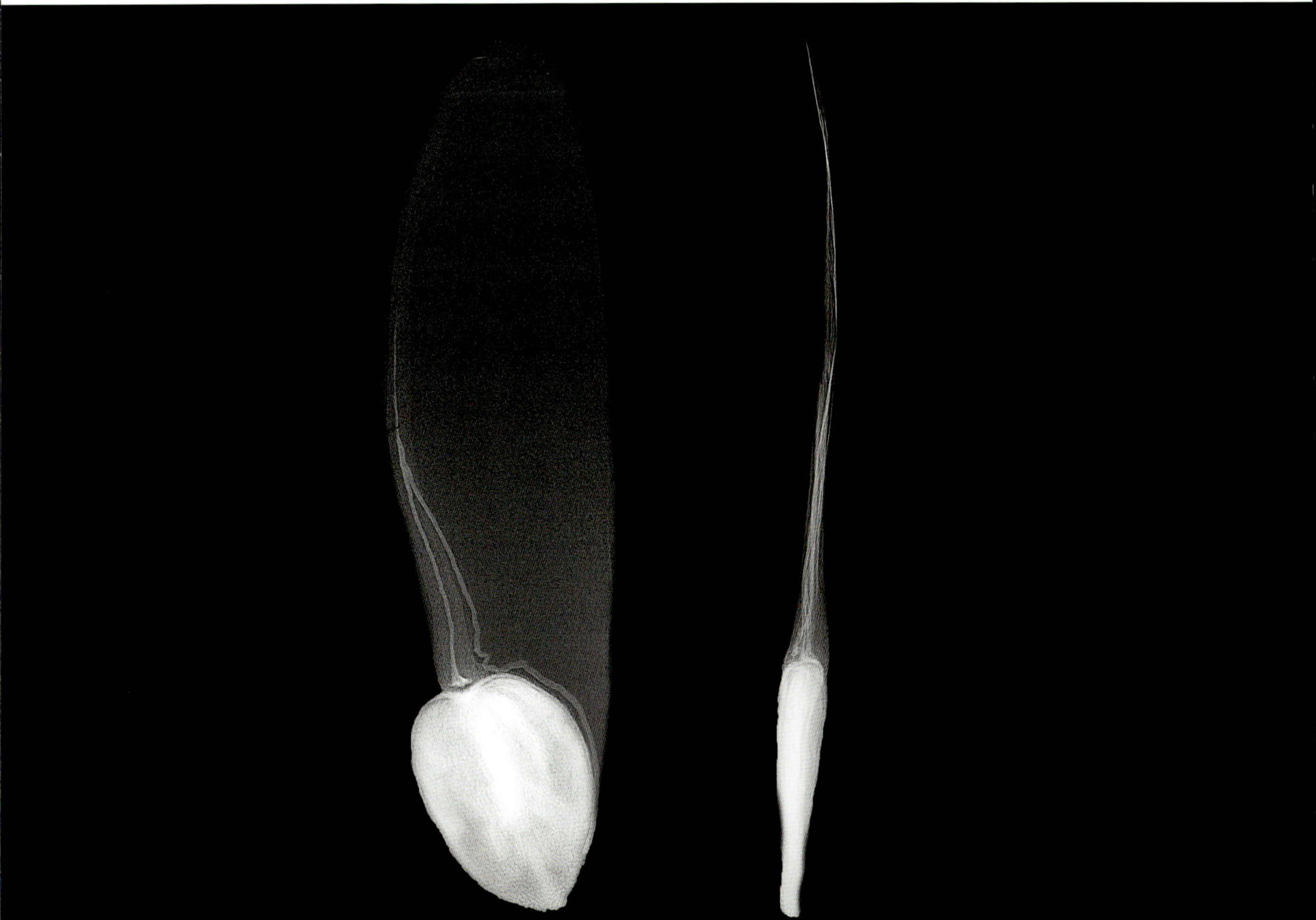

◀ 种子纵切面

5mm

◀ 种子横切面

5mm

▶ 胚

5mm

▶ 下胚轴和胚根

2mm

锦葵科 Malvaceae

勐仑翅子树
Pterospermum menglunense **H. H. Hsue**

保护级别 二级

植株生活型
乔木，高12m。

分　　布
产于云南。生于海拔500~800m的石灰岩山地疏林中。

经济价值
优良的用材树种。此外，叶、树皮、花被民间用来治疗外伤及跌打损伤造成的肿痛。

科研价值
中国特有植物，对研究中国热带植物区系具有重要价值。

濒危原因
分布区狭窄；生境特殊且破坏严重；过度砍伐；种群数量极少，结实率低，天然更新困难。

▶ 植株

花果期
花期3—4月，果期5—7月。

果实形态结构
蒴果；长椭圆形；表面被黄褐色绒毛；长7~8cm；顶端急尖，基部变窄并与长1~2cm的果梗连接；成熟后室背开裂为5瓣。

传播体类型
种子。

传播方式
风力传播。

种子贮藏特性
正常型种子。

◀ 花

▶ 叶

▶ 种子集

种子形态结构

种子：长方形，扁平；表面具粗网纹，顶端具翅；胚部为棕褐色，翅为黄棕色；胚部长12.31~15.61mm，宽8.54~9.71mm，厚1.72~2.60mm，重0.09930~0.13624g。翅为长卵形或长矩圆形；纸质，半透明；长31.60~40.56mm，宽10.48~14.12mm，厚0.06~0.17mm。

种脐：椭圆形；黄白色；长0.29~0.44mm，宽0.18~0.31mm；位于种子一侧的近基部。

种皮：外种皮外层为棕色，胶质；内层为棕色，革质，厚0.04~0.07mm。内种皮黄棕色；纸质；厚0.02mm；紧贴胚乳。

胚乳：含量中等；厚0.04~0.33mm；白色，半透明；胶质，硬；包着胚。

胚：白色；表面皱褶；肉质，富含油脂；长11.64mm，宽8.10~11.49mm，厚0.67~1.47mm；斜生于种子中。子叶2枚；近矩圆形，顶部中央凹缺，表面凹凸不平，两侧边一前一后地反折向另一面；扁平；白色；长11.04mm，宽8.10~11.49mm，厚0.24~0.40mm；并合。下胚轴和胚根圆柱形，基部稍尖；黄色；长5.93~6.00mm，宽0.80~1.00mm，厚0.67~0.80mm；上半部夹于两子叶中，下半部露出；朝向种子基端。

▶ **种子的腹面、背面和侧面**

▶ **种子 X 光照**

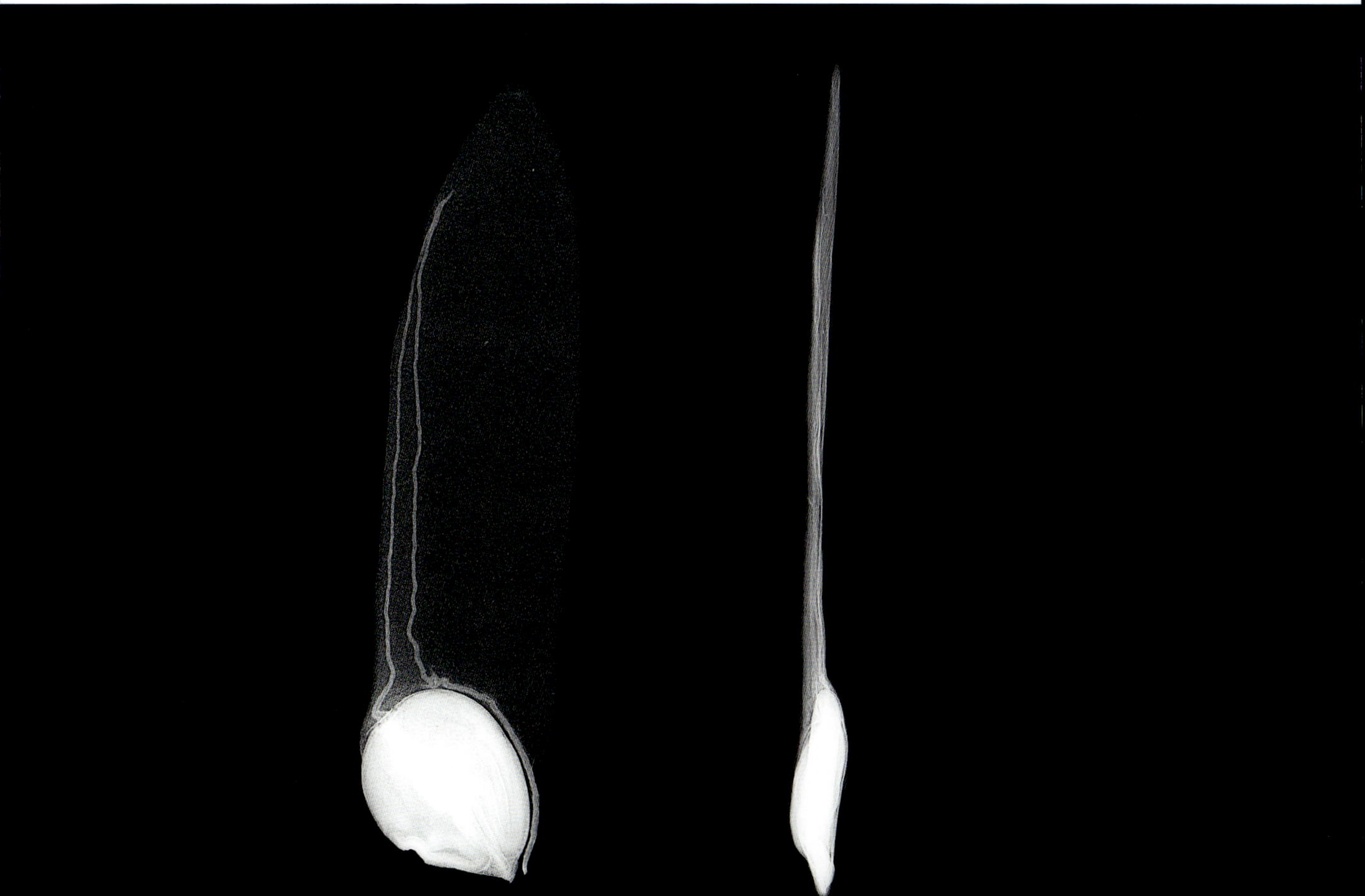

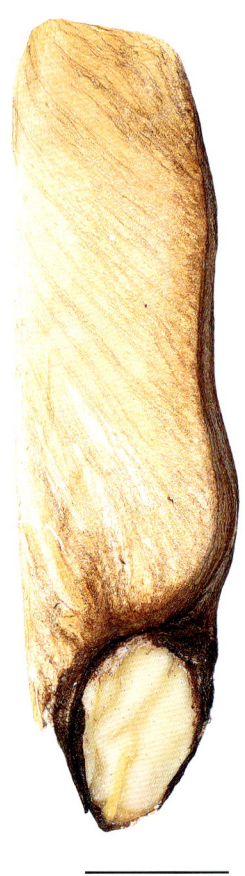

1cm

◀ 种子纵切面

5mm

◀ 种子横切面

▶ 带内种皮的种子

5mm

▶ 胚

5mm

锦葵科 Malvaceae

紫椴
Tilia amurensis Rupr.

保护级别 二级

植株生活型
落叶乔木,高15~25m,直径0.5~1m。

分　　布
产于内蒙古、辽宁、吉林、黑龙江、北京、天津、山东、山西和河北。生于海拔800m以下的混交林或杂木林中。此外,朝鲜和俄罗斯也有分布。

经济价值
既是用材树种,又是良好的庭荫、行道树种及优良的蜜源植物。此外,花可入药,有解表和清热功效,能治疗感冒发热、口腔炎、喉炎和肾盂肾炎。

濒危原因
生境破坏严重;过度砍伐。

▶ 植株

花果期
花期6—7月，果实8—10月成熟。

果实形态结构
小坚果；球形或卵形；顶端尖，表面密被黄棕色绒毛和黄白色星状毛，基部具果梗；棕色；长4.25~8.71mm，宽3.28~6.72mm，厚3.56~5.02mm，重0.0099~0.0440g。果皮革质；厚0.08~0.34mm；内含种子1~3粒。果疤五角形；黄色或黄棕色；长0.80~0.87mm，宽0.78~0.89mm；隆起；具棕色脐晕。果序连于一片鲜时白色或黄白色、干后黄棕色的椭圆形苞片上。

传播体类型
果实。

传播方式
重力传播。

种子贮藏特性
正常型种子。在低温干燥条件下贮藏，寿命可达3年以上。

种子萌发特性
具混合休眠。种子在0~5℃低温层积后，再在10~25℃进行暖层积，或先暖层积，再低温层积，有助于打破休眠，发芽率为50%~80%；而用浓硫酸处理30min，流水洗净，再用室温水浸泡24h，用100mg/L的GA_3溶液处理24h，然后在15~20℃层积10d后，移至0~5℃层积20d，在25℃±1℃下，湿润滤纸上，发芽率可达90%。

▶ 果枝

▶ 果实集

种子形态结构

种子： 卵形；腹面中央具一纵沟；棕色；长3.42~5.16mm，宽2.52~3.97mm，重0.0350~0.0380g。

种脐： 横椭圆形或近圆形；黄白色；长1.25~1.35mm，宽0.35~0.40mm；位于基部中央。

种皮： 棕色；壳质；厚0.07~0.27mm。

胚乳： 含量中等；乳白色；蜡质，含油脂；包着胚。

胚： 乳黄色；蜡质；折叠于胚乳中。子叶2枚；扁平，具叶脉；掌状5裂，下部两子叶裂片反折至种子背面，上部三子叶裂片自顶端反折至种子腹面，裂片全缘，并合或下部边缘稍分离；乳黄色；厚0.09~0.11mm。下胚轴和胚根扁倒卵形，乳白色或乳黄色；长1.78~1.82mm，宽0.82~0.89mm，厚0.44~0.67mm；朝向种子顶端。

▶ **果实的侧面、背面和基部**

▶ **种子 X 光照**

4mm

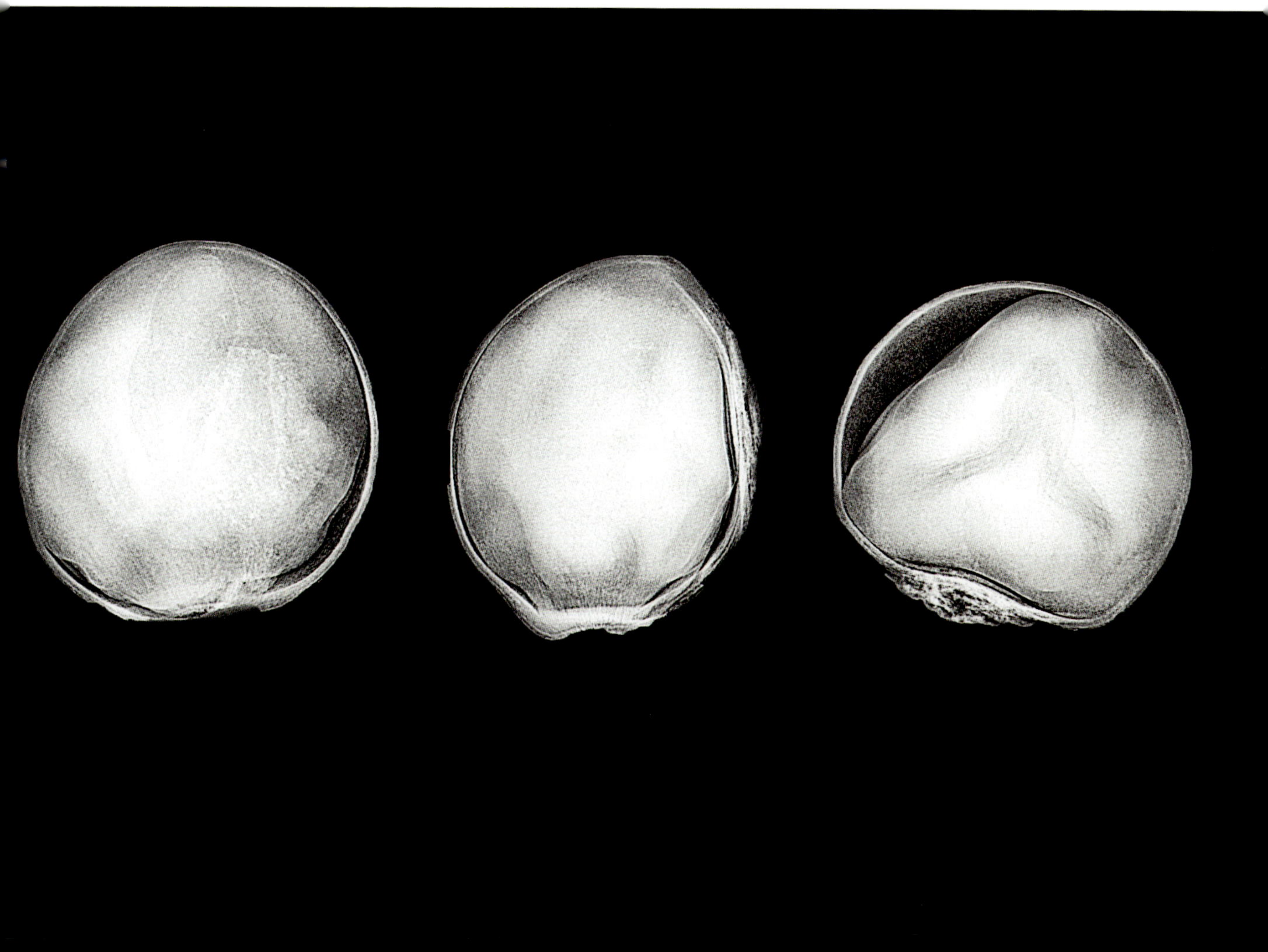

◀ 种子的背面、腹面、顶部和基部

◀ 种子横切面

▶ 种子纵切面

▶ 胚根

▶ 幼苗

瑞香科 Thymelaeaceae

土沉香
***Aquilaria sinensis* (Lour.) Spreng.**

保护级别 二级

植株生活型
常绿乔木，高5~15（~25）m，胸径达90cm。

分　　布
产于广东、广西、海南和福建。生于低海拔的山地、丘陵及路边阳处疏林中。

经济价值
木材白色轻软，可作绝缘或漂浮材料；老茎受伤后所形成的树脂，俗称沉香，可作香料原料，并为治疗胃病的特效药；树皮纤维柔韧，色白而细致，可作高级纸的原料和人造棉；木质部可提取芳香油；花可制浸膏。

科研价值
中国特有植物，是瑞香科中最原始的乔木类群，对研究瑞香科的地理区系和系统演化等具有重要价值。

濒危原因
生境特殊且破坏严重；过度砍伐；种子寿命短，幼苗生长缓慢，天然更新困难。

▶ 果枝

花果期
花期5—6月，果期6—7月。

果实形态结构
蒴果；倒卵形或椭球形；顶部稍尖，基部具果颈，表面密被白色短糙毛；幼时浅绿色，成熟后鲜时为黄色，干后为黄棕色；长2~4cm，宽1.4~2.6cm。果皮肉质；厚1.85~3.00mm；成熟后室背两瓣开裂；内含种子1~2粒。果颈包于萼筒内，萼筒中下部愈合成筒状，内表面密生白色糙毛，中上部5裂，内外表面均具白色疏毛。

传播体类型
种子。

传播方式
动物传播。

种子贮藏特性
种子忌脱水，常温条件下裸露放置40d，大部分就会失去发芽能力；贮藏于5~10℃下，大部分种子的发芽力可保存7~8个月。

种子萌发特性
无休眠。发芽时日温宜在25℃以上，在遮光度为60%时萌发率最高。

▶ 开裂果实

▶ 种子集

种子形态结构

种子：卵球形；腹平背拱，两端尖，腹面中央有一条白色纵线棱，表面被稀疏白色或棕色柔毛；褐色或黑褐色，有光泽；长12.13~16.12mm，宽5.83~8.00mm，厚4.78~5.97mm，重0.0312~0.0914g。基部油脂体为梭形；表面具白色或棕色疏柔毛；肉质，含油脂；新鲜时背面为红棕色或橙色，腹面为白色，干后背面为棕褐色，腹面为灰白色或黄白色；长11.64~18.13mm，宽2.26~4.54mm，厚1.21~2.72mm；上具两条白色丝线与果瓣内壁相连，可将种子悬挂于果瓣上一段时间，吸引动物前来进行传播。

种皮：外种皮外层为膜质，棕色；中层为黑色，壳质，厚0.13~0.16mm；第三层为黄棕色，泡沫状海绵质；第四层为枯黄色，纸质，表面具白色绵毛。内种皮为黄棕色；膜状胶质；紧贴胚乳。

胚乳：含量极少，薄层状；厚0.07~0.18mm；黄白色；蜡质，富含油脂；包着胚。

胚：倒卵形或矩圆形，顶端平；黄白色；肉质，富含油脂；长5.50~6.10mm，宽4.20~4.50mm；直生于种子中央。子叶2枚；矩圆形，平凸，肥厚；长4.80~5.10mm，宽4.20~4.50mm，厚0.85~1.07mm；并合。胚根圆锥形；长1.00~1.29mm，宽0.60~0.84mm，厚0.62~0.69mm；朝向种子顶端。

▶ **种子的背面、腹面和侧面**

▶ **种子 X 光照**

5mm

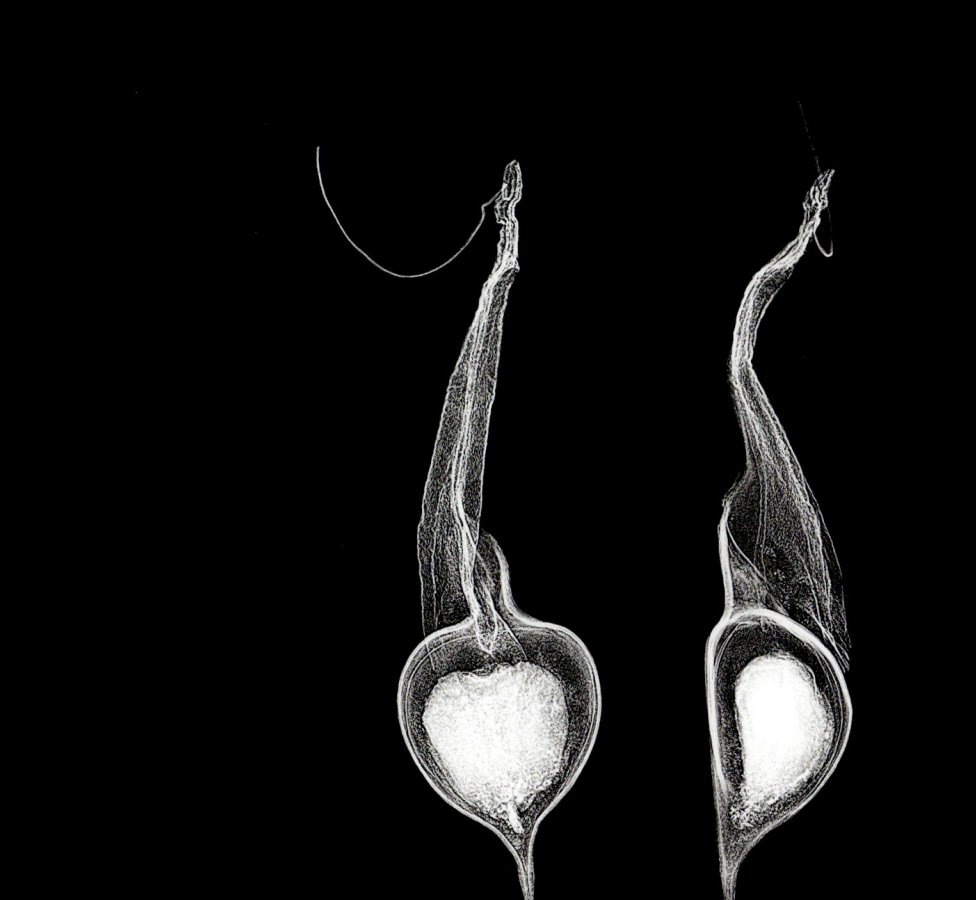

◀ 去除油脂体的种子的背面

5mm

◀ 去除油脂体的种子的腹面

5mm

▶ 带内种皮的种子的腹面

2mm

▶ 带内种皮的种子的侧面

2mm

▶ 带内种皮的种子的基部

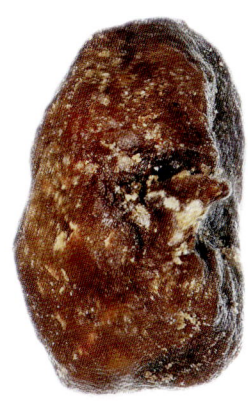

2mm

龙脑香科 Dipterocarpaceae

东京龙脑香
Dipterocarpus retusus **Blume**

保护级别 一级

植株生活型
常绿大乔木，高约45m。

分　布
产于云南和西藏。生于海拔1100m以下潮湿的沟谷雨林及石灰山密林中。此外，印度、孟加拉国、柬埔寨、缅甸、泰国、老挝、越南、马来西亚、印度尼西亚等也有分布。

经济价值
木材速生、圆直、抗虫耐腐，可作房屋建筑、枕木、桥梁等用材；树脂含量丰富，可供工业用及药用，与麻纤维混合后还可填塞船缝。

科研价值
热带雨林标志树种，对研究热带雨林植物区系具有重要价值。

濒危原因
分布区狭窄；生境特殊且破坏严重；过度砍伐；植株数量少，种子易丧失活力，导致种群天然更新困难。

▶ 植株

花果期
花期5—6月，果期12月至翌年1月。

果实形态结构
坚果；卵形，顶端具喙；表面密布棕色和白色短柔毛及18~19条纵棱；黄色或黄棕色；长3.36~3.84cm，宽2.26~2.33cm，厚2.17~2.29cm，重3.4375~5.2334g。果皮厚0.96~1.60mm；内含1粒种子。果实全包于厚1.75~2.80mm的棕色至褐色木质萼筒内。萼筒下部罐状，顶部分裂为2枚大翅和3枚小翅。大翅为长椭圆形，披针状；具3~5条纵脉，被稀疏的星状短绒毛和密集的油点；新鲜时为红色，干后为黄棕色；长10.68~23.00cm，宽2.41~3.69cm。小翅为宽卵形；具网状叶脉；长0.95~2.53cm，宽0.76~1.64cm。果实连萼筒（不带翅）长2.77~5.25cm，宽2.41~3.61cm，厚2.51~3.59mm。

传播体类型
果实。

传播方式
风力传播。

种子贮藏特性
顽拗型种子。忌失水，不耐低温，亦不耐久藏，宜随采随播。

种子萌发特性
新鲜种子播种后应保证苗床遮阴率达80%，土壤含水率在40%~60%，并保证良好的通风，才能具有较高的发芽率。

▶ 果枝

▶ 带萼筒的新鲜果实

种子形态结构

种子：卵形；具3条棱，顶部尖，表面密被白色绵毛；新鲜时为黄棕色，干后为棕褐色；长2.70~5.10cm，宽1.53~3.50cm，厚1.32~2.17cm。

种脐：近圆形；黄棕色；长0.90~1.19cm，宽0.90~1.05cm；位于种子基端。

种皮：外层棕褐色，内层黑褐色；表面具黄色或白色绵毛；角质；厚0.11~0.20mm；基部与果皮基部联合。

胚乳：无。

胚：折叠成球形；黄色。子叶2枚；大而厚；折叠；包围着胚根。胚芽卵形。下胚轴和胚根圆柱形，基端尖；朝向种子顶端。

▶ 带萼筒的干燥果实

▶ 带萼筒果实 X 光照

◀ 果实的背面、腹面、顶部和基部

◀ 果实纵切面

▶ 种子背面

5mm

▶ 种子顶部

5mm

龙脑香科 Dipterocarpaceae

坡垒
Hopea hainanensis Merr. & Chun

保护级别 一级

植株生活型
常绿乔木，高20~30m，胸径60~85cm。

分布
产于海南。生于海拔700m左右的密林中。此外，越南也有分布。

经济价值
珍贵用材，适宜制作渔轮的外龙骨、内龙筋、轴套、尾轴筒和首尾柱；也可作码头桩材、桥梁和其他建筑用材。此外，其是热带雨林和季雨林的重要组成成分，能够涵养水源，保持水土。

科研价值
东亚特有植物，对研究中国植物区系的起源与演化具有重要价值。

濒危原因
分布区狭窄；生境特殊且破坏严重；过度砍伐；种群数量少，种子易丧失活力，导致种群天然更新困难。

▶ 植株

花果期

花期6—10月，果期11至翌年5月，各地有一定差异。

果实形态结构

坚果；卵形；顶端具喙，表面具短棒状纵棱和白色短糙毛，上部尤多；黄棕色或灰棕色；长9.60~13.77mm，宽5.97~9.67mm，厚5.82~6.40mm，重0.0573~0.0888g。果皮壳质；厚0.28~0.67mm；内含种子1粒。坚果半包于萼筒内；萼筒中下部罐状，中上部分裂成两大三小的翅状裂片；萼筒与果皮之间充满黄色、透明的树脂。大翅为长倒卵形或倒披针形；具7~11条线状纵脉，被稀疏星状毛；新鲜时为红色，干后为黄棕色；长4.50~8.12mm，宽1.14~2.50mm，厚0.26~0.44mm。小翅长7.66~9.80mm，宽3.56~5.80mm。带萼筒的果实宽0.74~1.13cm，重0.3519~0.6518g。

传播体类型

果实。

传播方式

风力传播。

种子贮藏特性

顽拗型种子。忌失水，不耐低温，亦不耐久藏，宜随采随播。

种子萌发特性

无休眠。最适萌发温度为15~20℃，适宜的土壤含水量为30%~50%。

◀ 花

▶ 带萼筒果实的背面、腹面和顶部

▶ 带萼筒果实 X 光照

4cm

种子形态结构

种子： 卵形或椭球形；黄棕色或棕色；长5.80~9.57mm，宽4.90~8.24mm，厚4.60~5.30mm。

种皮： 黄棕色或棕色；纸质；厚0.02~0.06mm；紧贴果皮。

胚乳： 无。

胚： 卵形或椭球形；长5.40~7.60mm，宽5.00~5.80mm，厚4.70~5.00mm。子叶2枚；肥厚；每片子叶从中央纵裂成两瓣，仅上部结合，每瓣为倒卵形、弯拱状；长5.40~7.60mm，宽5.10mm，厚1.30~1.40mm；疏松贴合或折叠并合。下胚轴和胚根长椭圆形，稍扁；长3.60~4.30mm，宽0.80~1.00mm，厚0.44~0.71mm；位于两裂片中央；朝向种子顶端。

▶ 果实的背面、腹面、基部和顶部

▶ 果实X光照

5mm

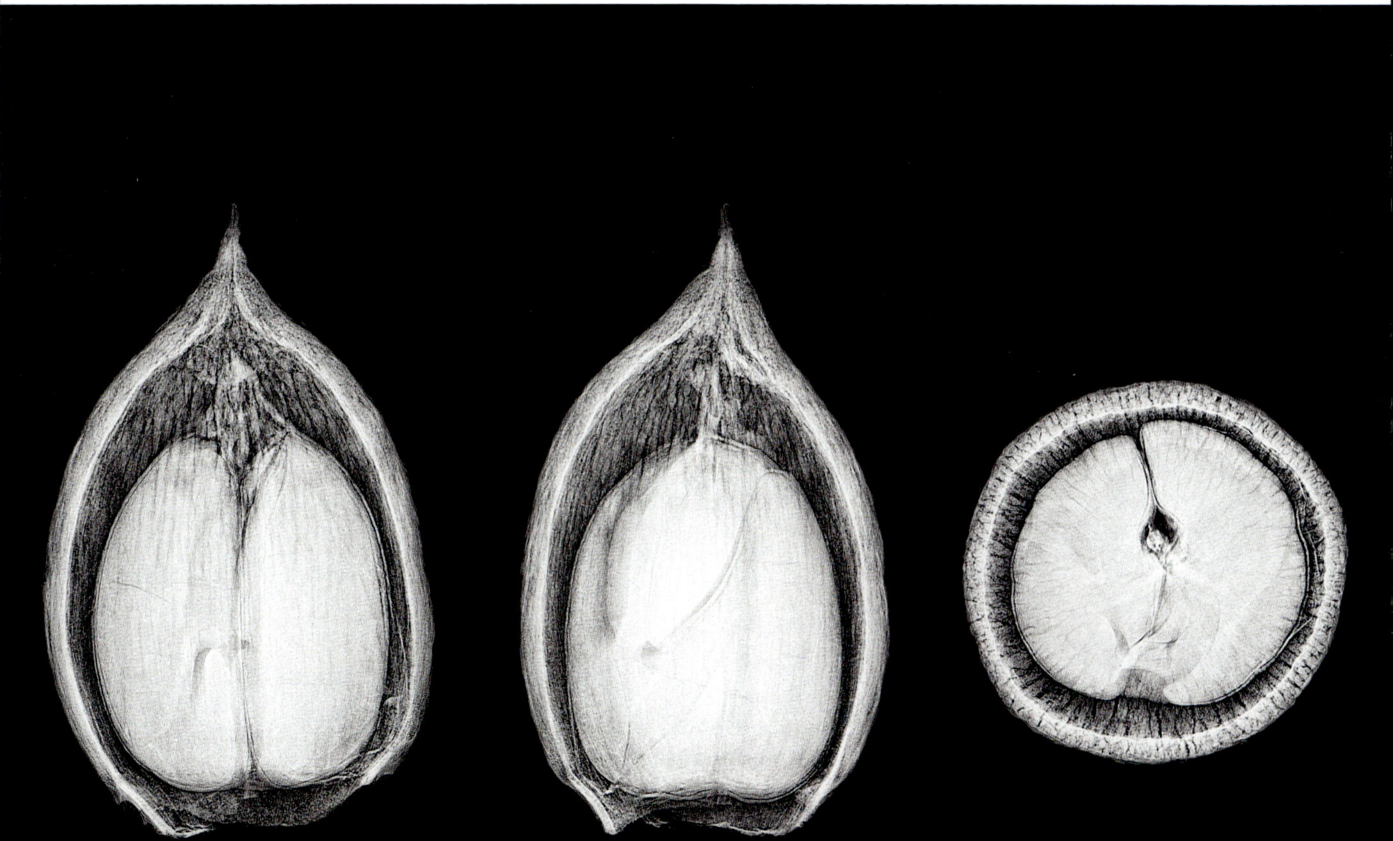

◀ 带萼筒果实纵切面

◀ 变质果实纵切面

▶ 变质胚正面

4mm

▶ 变质胚侧面

2mm

叠珠树科 Akaniaceae

伯乐树（钟萼木）
***Bretschneidera sinensis* Hemsl.**

保护级别 二级

植株生活型
落叶乔木，高10~20m。

分　　布
产于浙江、福建、江西、湖南、湖北、四川、重庆、贵州、云南、广东、广西和台湾。生于海拔390~2220m的常绿阔叶林、常绿落叶阔叶混交林中。此外，越南、老挝和泰国等国也有分布。

经济价值
既可用材，又可观赏的珍贵树种，还是一种中药，以树皮入药，能治疗筋骨痛。

科研价值
东亚特有、古老的单种科孑遗植物，在研究被子植物的系统发育和古地理、古气候等方面具有重要价值。

濒危原因
过度砍伐；结实率低，种子易丧失活力，导致种群天然更新困难。

▶ 植株

花果期
花期3—9月，果期5月至翌年4月。

果实形态结构
蒴果；阔卵形、椭球形或近球形；表面被极短的棕褐色毛，常混生疏白色小柔毛及棕色、褐色小瘤，具2~5条沟；新鲜时为紫红色或红棕色，干后为棕色或褐色；长2.00~6.19cm，宽2.32~3.83cm。果皮木质；外表面为棕色或褐色，内表面为紫红色；厚1.2~5mm；成熟后3~5瓣开裂；内含种子1~6粒。果梗长2.5~3.5cm，表面有毛或无毛。

传播体类型
种子。

传播方式
动物传播。

种子贮藏特性
顽拗型种子。忌失水，不耐低温，亦不耐久藏，宜随采随播。

种子萌发特性
具生理休眠。在4~5℃低温条件下，沙藏28d、56d或84d，然后在温室沙床播种，萌发率可达85%。

▶ 开裂果实

▶ 带假种皮的种子的腹面、背面、侧面和基部

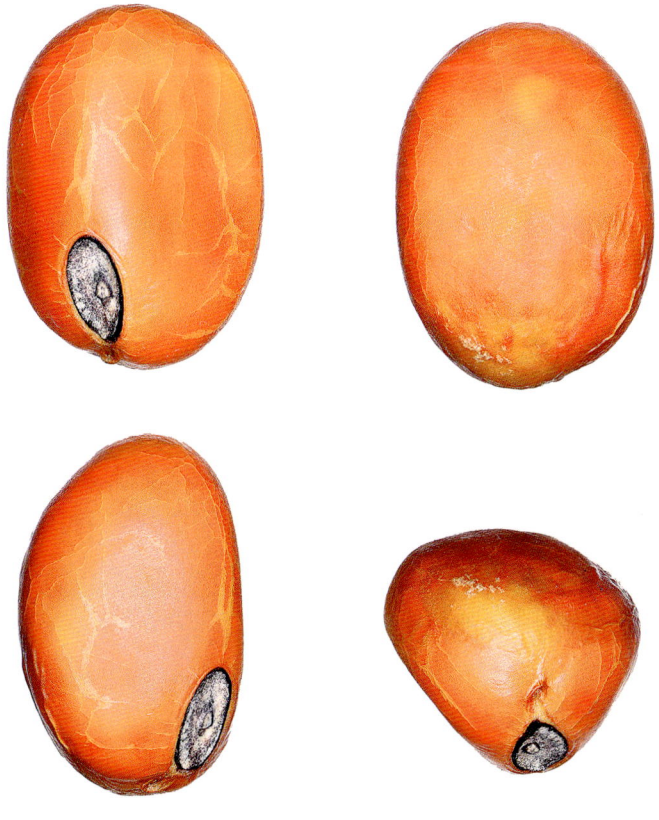

5mm

种子形态结构

种子：椭球形或近球形；乳白色或黄白色；长11.45~18.31mm，宽8.45~13.00mm，厚7.74~12.58mm，重0.2007~0.8174g；表面具新鲜时为橙色或橙红色、干后为棕褐色的肉质假种皮。

种脐：椭圆形；黄白色；长4.09~8.87mm，宽2.00~4.02mm；微凹；位于腹面近基部。

种皮：外种皮乳白色或黄白色；壳质；厚0.20~0.57mm。内种皮浅灰棕色或浅黄棕色；膜状胶质；紧贴胚乳。

胚乳：含量少；厚0.24~0.71mm；黄棕色；蜡质；包着胚。

胚：宽卵形或矩圆形，背腹面中下部中央具一纵沟；乳白色或黄白色；蜡质；长10.58~14.47mm，宽6.27~10.90mm，厚4.40~6.42mm；直生于种子中央。子叶2枚；近卵形或椭圆形，平凸，肥厚，厚薄不均；长11.19~14.47mm，宽8.96~10.25mm，厚1.80~3.70mm；并合。胚芽宽圆锥形，扁；长0.40~0.78mm，宽0.47~0.96mm，厚0.31~0.82mm；已分化出两枚长0.22~0.31mm的条状真叶；夹于两子叶中间。胚根圆柱形；长0.91~1.80mm，宽0.97~2.00mm，厚0.89~1.29mm；朝向种脐。

▶ 种子的侧面、腹面和基部

▶ 种子 X 光照

5mm

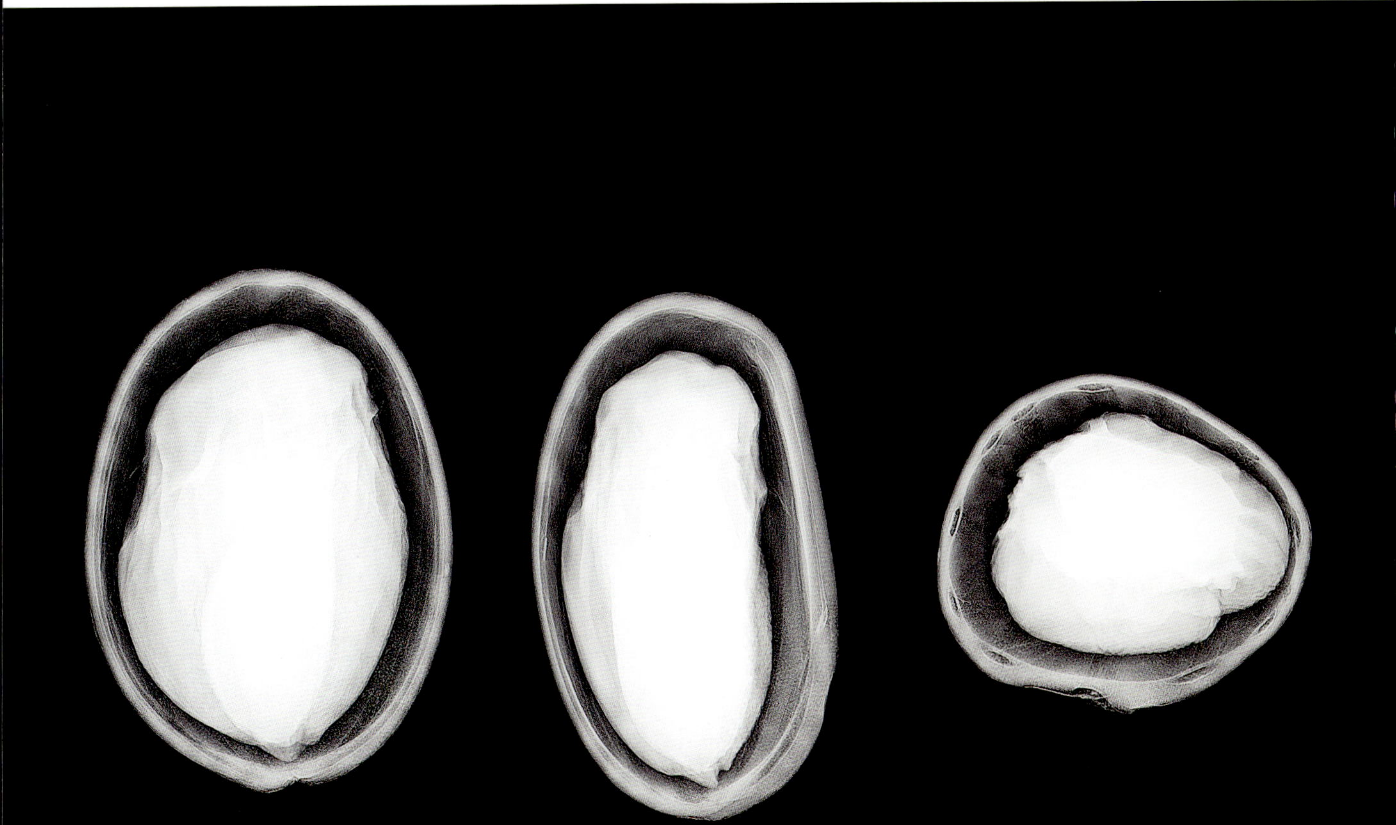

◀ 带内种皮的种子

5mm

◀ 种子横切面

5mm

▶ 种子纵切面

5mm

▶ 去除种皮的种子

5mm

▶ 萌发中的种子

5mm

铁青树科 Olacaceae

蒜头果
Malania oleifera Chun & S. K. Lee

保护级别 二级

植株生活型
常绿乔木，高15~25m，胸径40cm。

分 布
产于广西和云南。生于海拔300~1700m石灰岩石山的下坡、肥沃较湿润的中性至微碱性石灰岩土上。

经济价值
既是石山地区绿化树种和优良用材树种，也是野生木本油料植物，其种子出油率达31%，可食用；另外油脂中甘四（碳）烯-[15]-酸含量达67%，是合成麝香酮的主要原料，以及合成十五内酯、十五环酮等高级香料的定香剂。

科研价值
中国特有单种属植物，对研究铁青树科的分类和系统演化具有重要价值。

濒危原因
分布区狭窄；生境特殊且破坏严重；过度砍伐；种群数量少，种子易丧失活力且易遭鼠害，导致种群天然更新困难。

▶ 植株

花果期

花期4—9月,果期5—12月。

果实形态结构

核果;扁球形;幼时绿色,成熟后为灰绿色或灰褐色;直径为3~4.5cm。外果皮革质,中果皮肉质,二者共厚0.6~1.4cm。去除外果皮和中果皮后的果核为扁球形,顶端尖,呈蒜头状;新鲜时为黄色,干后为灰黄色或黄棕色;长2.33~3.79cm,宽2.58~3.67cm,厚2.54~3.23cm,重4.4133~11.1730g。内果皮木质;厚0.55~1.48mm;内含种子1粒。

传播体类型

果实。

传播方式

动物传播。

种子贮藏特性

不耐在干燥条件下久藏,宜随采随播或短期沙藏。

种子萌发特性

在室外(平均温度为23.6℃),播种于沙床上,萌发率为98%。

▶ 果枝

▶ 果实的基部、顶部、背面和腹面

4cm

种子形态结构

种子： 扁球形；底面平，具放射状褐色浅沟；棕褐色；长2.61~3.48cm，宽2.47~3.38cm。

种脐： 圆形；棕色；长3.5~5mm，宽2.8~3.5mm；位于底部中央；凹。

种皮： 棕褐色；胶质，脆；厚0.02mm；紧贴胚乳。

胚乳： 含量丰富；厚5.00~7.10mm；黄白色或黄色；半肉半胶质，含油脂；包着胚。

胚： 椭圆形；黄色；长2.02~2.90mm，宽0.71~1.17mm，厚0.53~0.70mm；直生于种子近顶部中央。子叶2枚；宽倒卵形，扁平，折叠成三棱形或四棱形；长1.00~1.50mm，宽0.42~0.87mm，厚0.04~0.07mm；半开半合。下胚轴和胚根椭圆形；长1.02~1.40mm，宽0.82~1.17mm，厚0.53~0.70mm；朝向果核顶端。

4cm

◀ 果实的纵切面和横切面

▶ 果核的基部、顶部、腹面和背面

▶ 果核X光照

2cm

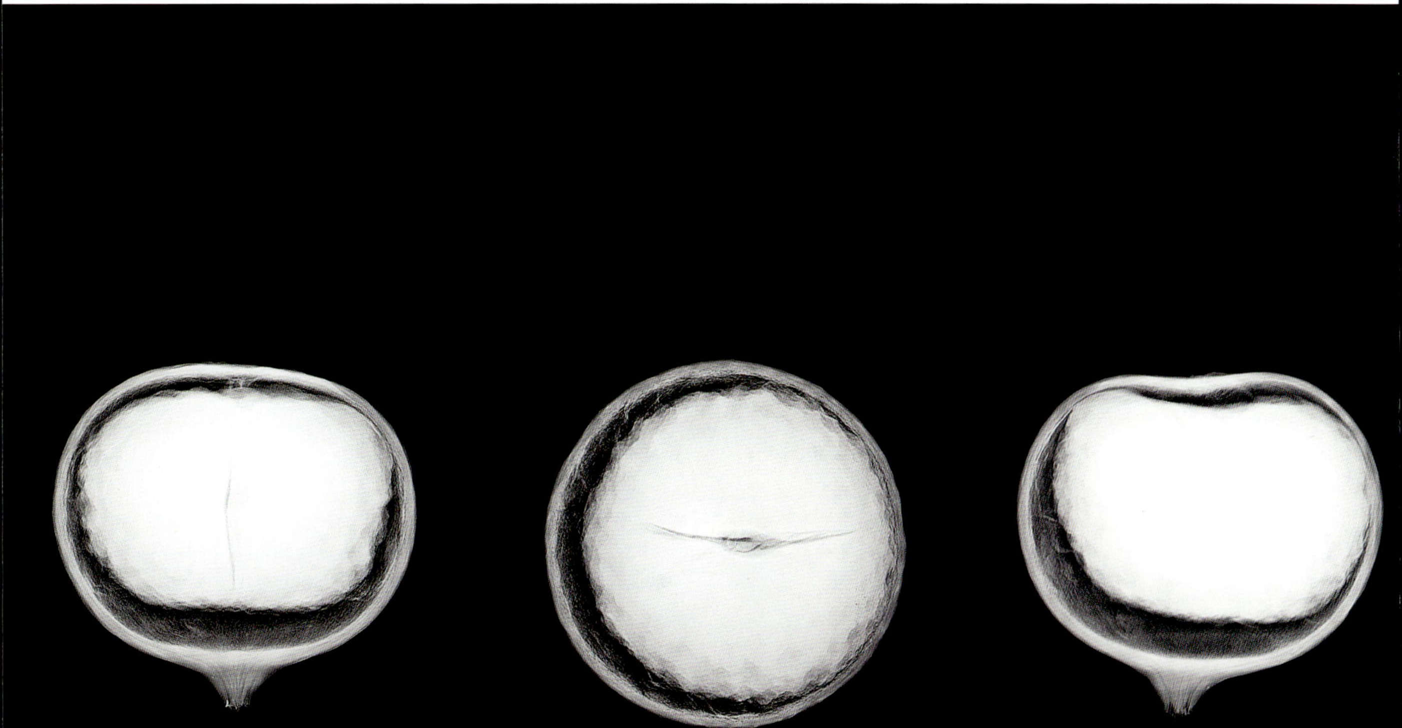

◀ 种子的顶部和腹面

1cm

◀ 果核横切面

1cm

▶ 果核纵切面

1cm

▶ 胚

500μm

▶ 萌发中的种子

1cm

瓣鳞花科 Frankeniaceae

瓣鳞花
***Frankenia pulverulenta* L.**

保护级别 二级

植株生活型
一年生草本，高6~16cm。

分　布
产于新疆、甘肃和内蒙古。生于1200~1500m的荒漠地带河流泛滥地、湖盆等低湿盐碱化土壤上。此外，亚洲西南部、欧洲、非洲也有分布。

经济价值
改良盐碱地的绿化植物及盐碱地牧草。此外，还是一种常用中药，以根入药，内服治疗风湿痹痛、胃脘冷痛、跌打损伤、外伤出血等症，外用治疮疖、蛇虫咬伤。

科研价值
世界干旱区物种之一，在中国新疆、甘肃和内蒙古干旱气候区内又是独特的"古地中海"区系成分典型代表之一，对研究中国干旱区植物区系的起源、迁移和植物地理分区具有重要价值。

濒危原因
分布区狭窄；野生植株极为稀少。

▶ 植株

花果期
花果期5—8月。

果实形态结构
蒴果；卵形；黄棕色；长2~2.9mm，宽0.7~1mm；成熟后开裂；内含种子十多粒；包于黄棕色、草质宿存的萼筒内。萼筒上部1/4浅裂成5瓣；厚0.02mm。

传播体类型
种子。

传播方式
风力传播。

种子贮藏特性
正常型种子。在低温干燥条件下贮藏，寿命可达2年以上。

种子萌发特性
在25℃/15℃，12h/12h光照条件下，1%琼脂培养基上，萌发率为95%；而在20℃，12h/12h光照条件下，含200mg/L GA$_3$的1%琼脂培养基上，萌发率也为95%。

▶ 花

▶ 种子集

种子形态结构

种子：纺锤形；背腹面中央各具一条宽0.04~0.09mm的纵沟；浅黄棕色；长0.73~0.93mm，宽0.29~0.38mm，厚0.22~0.27mm。

种脐：不明显，位于种子基端。

种皮：浅黄棕色；膜状胶质；厚0.01mm；紧贴胚乳与胚。

胚乳：含量中等；厚0.07mm；白色；颗粒状淀粉质或结为块状；位于胚的两侧。

胚：椭圆形；黄色；蜡质；长0.67~0.76mm，宽0.16~0.22mm，厚0.18~0.22mm；直生于种子中央。子叶2枚；卵形或长方形，扁平；长0.36~0.42mm，宽0.20~0.22mm，厚0.07~0.11mm；并合。下胚轴和胚根短圆柱形或倒卵形；长0.22~0.33mm，宽0.18~0.22mm，厚0.13~0.22mm；朝向种脐。

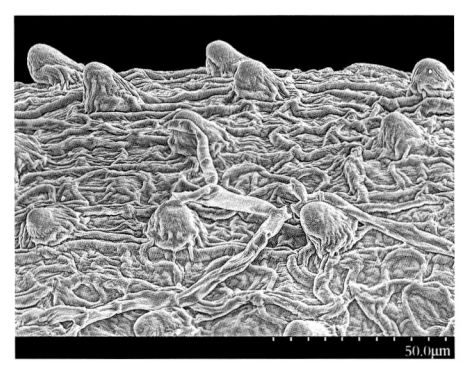

◀ 种子表面 SEM 照

▶ 种子的背面、腹面和侧面

▶ 种子 X 光照

200μm

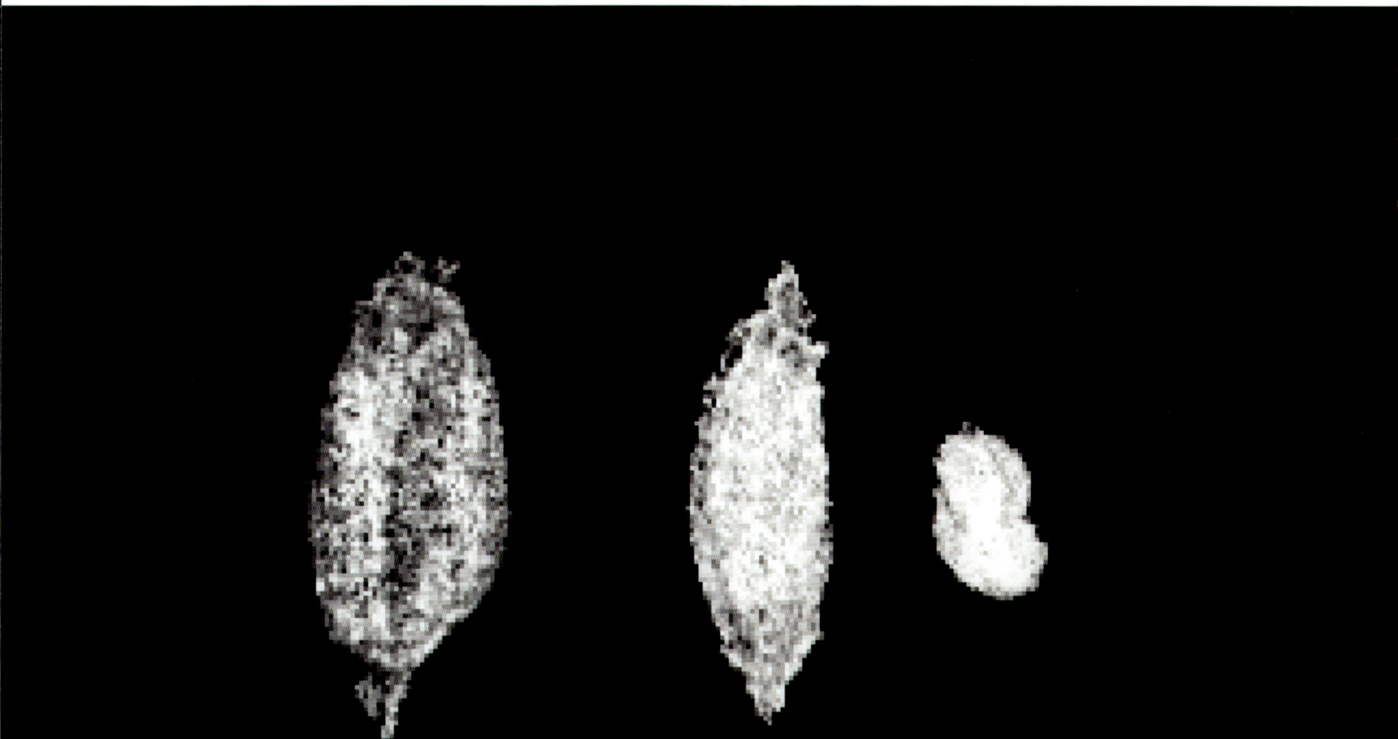

◀ 种子纵切面

◀ 种子横切面

▶ 胚

200μm

蓼科 Polygonaceae

金荞麦
***Fagopyrum dibotrys* (D. Don) Hara**

保护级别 二级

植株生活型
多年生草本，高达1m。

分　　布
产于江苏、浙江、安徽、福建、江西、河南、湖北、湖南、广东、广西、重庆、四川、贵州、云南、西藏、甘肃和陕西。生于海拔250~3200m的荒地、灌丛、路旁、河边阴湿地。此外，印度、巴基斯坦、尼泊尔、不丹、缅甸、泰国和越南也有分布。

经济价值
一种优良牧草；其根茎具清热解毒、排脓去瘀功效，能治疗菌痢、肺炎、扁桃体炎、月经不调、腰痛劳伤、痈疽毒疮、跌打损伤等症，研粉搽敷能治疗虫、蛇、犬咬伤，也是一种很有前景的抗肿瘤中药。

濒危原因
生境破坏严重；过度采挖。

▶ 植株

花果期

花期7—9月,果期8—10月。

果实形态结构

瘦果;卵状三棱形;棕色至黑褐色;长4.20~8.41mm,宽2.83~7.76mm,厚2.11~3.74mm,重0.0088~0.0324g。果皮革质;厚0.11~0.27mm。花被宿存;5深裂成三角状卵形;黄褐色;长约果实的1/3;位于果实基部。

◀ 生境

▶ 花

▶ 果实集

4mm

传播体类型
果实。

传播方式
风力传播。

种子贮藏特性
正常型种子。在低温干燥条件下贮藏,寿命可达5年以上。

种子萌发特性
在15℃、20℃、25℃、25℃/10℃、25℃/15℃,12h/12h光照条件下,1%琼脂培养基上,萌发率均可达100%。

▶ 果实的背面、腹面、基部和顶部

▶ 果实 X 光照

种子形态结构

种子： 椭圆形或宽纺锤形，稍扭，腹面微凹；棕色；长11.38~24.48mm，宽5.10~5.90mm，厚1.50~4.30mm。

种皮： 外种皮棕色；胶质；厚0.07~1.33mm。内种皮橙黄色或黄色；膜状胶质；紧贴胚乳。

胚乳： 含量中等；乳白色；蜡质，含油脂；厚0.64~0.82mm；包着胚。

胚： 椭圆形；乳白色；蜡质，含油脂；长11.10~19.40mm，宽4.40~5.30mm，厚0.38~0.51mm；直生于种子中央。子叶2枚；椭圆形，扁；具叶脉；长7.50~12.00mm，宽4.40~5.30mm，厚0.18~0.22mm；并合，背向拱起。下胚轴及胚根长圆锥形；长3.20~5.00mm，宽1.30~1.50mm，厚0.30~0.50mm；朝向种子顶端。

◀ 果实的顶部、基部、腹面和背面

▶ 果核的腹面、背面、顶部和基部

▶ 果核X光照

◀ 果实纵切面

1cm

◀ 果实横切面

1cm

▶ 种子

5mm

▶ 种子纵切面

5mm

山榄科 Sapotaceae

紫荆木

***Madhuca pasquieri* (Dubard) H. J. Lam**

保护级别 二级

植株生活型
常绿大乔木，高达30m，胸径60~80cm。

分　　布
产于广东、广西和云南。生于海拔1100m以下的混交林中或山地林缘。此外，越南也有分布。

经济价值
珍贵的用材树种、庭园绿化树种和重要的水源涵养树种；种子含油，种仁出油率为39%~45%，味香可食，也可作为工业用油；木质可入药，有活血、通淋功效，主治妇女痛经、瘀血腹痛、淋病。

濒危原因
分布区狭窄；过度砍伐；幼树生长缓慢，种子易遭动物取食和虫蛀，且易丧失活力，种群天然更新能力弱。

▶ 植株

花果期

花期7—12月，果期10月至翌年3—4月。

果实形态结构

浆果；椭球形或球形，稍偏斜；顶部具宿存花柱，基部具宿萼，表面被锈色绒毛，后会脱落；成熟后由红色变为黑色；长2~3.8cm，宽1.5~2.2cm。果皮肥厚；内含种子1~5粒。

传播体类型

果实。

传播方式

动物传播。

种子贮藏特性

顽拗型种子。忌失水，不耐低温，亦不耐久藏，宜随采随播或短期沙藏。

种子萌发特性

无休眠。发芽日均温在20℃以上。

▶ 种子集

4cm

种子形态结构

种子：宽纺锤形，一侧直而另一侧弯拱；表面光滑；棕色或灰棕色，具光泽；长18.00~38.02mm，宽9.98~13.37mm，厚5.58~11.18mm。

种脐：纺锤形；棕褐色；长21.51~36.98mm，宽2.80~7.38mm，从顶端延至基端；平于种皮；位于种子较直一侧。

种皮：外种皮棕色或灰棕色；壳质；厚0.14~0.27mm。内种皮棕色或棕褐色；具多条较粗的纵纤维；纸质；部分与胚分离。

胚乳：无。

胚：椭圆形，一侧稍直；新鲜时为乳白色，内含红棕色颗粒，干后为黄棕色或棕色；半肉半粉质，富含油脂；长25.57~29.56mm，宽7.68~9.50mm，厚6.20~7.55mm；直生于种子中央。子叶2枚；肥厚，平凸；长24.11~27.46mm，宽7.68~9.50mm，厚3.20~4.40mm；分离。下胚轴和胚根圆锥形；长1.70~3.00mm，宽1.40~2.30mm，厚1.50~1.60mm；朝向种子基端。

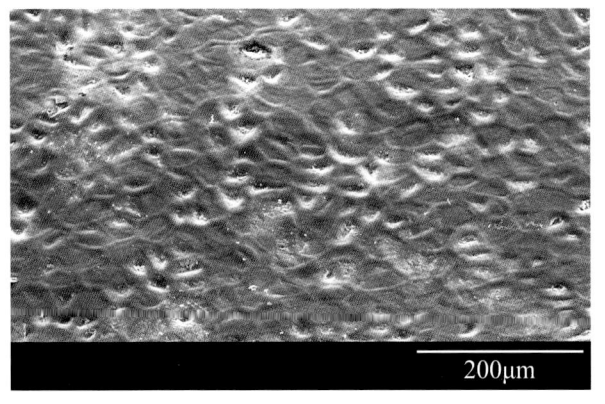

◀ 种子表面 SEM 照

▶ 种子的背面、腹面、侧面和顶部

▶ 种子 X 光照

1cm

◀ 种子纵切面

1cm

◀ 种子横切面

5mm

▶ 变质胚

1cm

▶ 变质胚纵切面

1cm

报春花科 Primulaceae

羽叶点地梅
***Pomatosace filicula* Maxim.**

保护级别 二级

植株生活型
一年生或两年生草本，高3~9cm。

分　　布
产于青海、四川和西藏。生于海拔2800~4751m的高山草甸、山坡草丛、河滩沙地和山谷阴处。

经济价值
一种中药，以全草入药，能治疗喉痛和跌打损伤。

科研价值
中国特有单种属植物，对研究报春花科的系统分类和进化具有重要价值。

濒危原因
分布区狭窄；生境破坏严重；过度采挖。

▶ 植株

花果期

花期5—6月，果期6—9月。

果实形态结构

蒴果；近球形；红色；直径约为4mm；生于红色碟状或杯状的肉质花萼筒中。成熟后从近基部环裂成上下两半；内含种子6~12粒。

传播体类型

种子。

传播方式

风力传播。

种子贮藏特性

正常型种子。在低温干燥条件下贮藏，寿命可达13年以上。

种子萌发特性

具生理休眠。在25℃/10℃，12h/12h光照条件下，1%琼脂培养基上，萌发率可达100%；而在15℃或20℃，12h/12h光照条件下，含200mg/L GA_3 的1%琼脂培养基上，萌发率也可达100%。

▶ 种子集

4mm

种子形态结构

种子：不规则三面体、四面体或五面体；表面密布空泡状竖翅；褐色；长1.35~2.58mm，宽0.93~1.75mm，厚0.56~1.10mm，重0.00056~0.00157g。

种脐：近圆形；褐色；位于腹面棱的末端。

种皮：褐色；胶质；厚0.02mm；紧贴胚乳。

胚乳：含量中等；白色，半透明；角质，含少量油脂；包着胚。

胚：窄椭圆形，棒状；直或稍弯；乳白色或乳黄色；肉质，富含油脂；长1.20~2.26mm，宽0.27~0.61mm，厚0.22~0.28mm；直生于种子中央。子叶2枚；长椭圆形；长0.49~0.89mm，宽0.27~0.38mm，厚0.10~0.15mm；并合或分离。下胚轴和胚根圆柱形；长0.71~1.42mm，宽0.22~0.33mm，厚0.24~0.27mm；朝向种子基端。

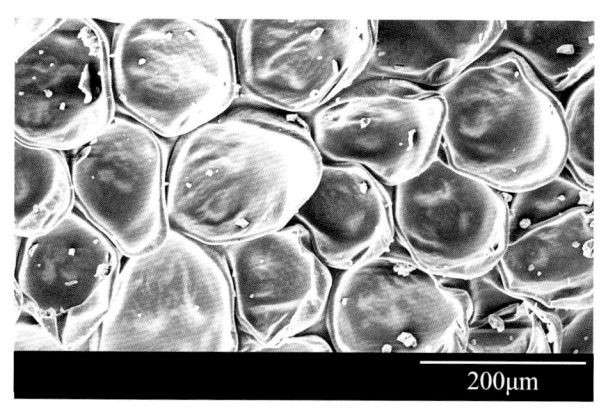

◀ 种子表面 SEM 照

▶ 种子的背面、腹面、侧面和基部

▶ 种子 X 光照

1mm

◀ 种子纵切面

1mm

◀ 种子横切面

500μm

▶ 胚

500μm

安息香科 Styracaceae

秤锤树
Sinojackia xylocarpa Hu

保护级别 二级

植株生活型
落叶小乔木，高达7m。

分　　布
产于江苏、湖北、湖南和四川。生于海拔500~800m处的林缘、疏林中或丘陵山地。

经济价值
既可用材，又可观赏的珍贵树种。

科研价值
中国特有的寡种属植物，对研究安息香科植物的系统发育具有重要价值。

濒危原因
分布区狭窄；生境破坏严重；过度砍伐；种群小；种子败育严重，萌发难，导致种群天然更新困难。

▶ 植株

花果期
花期3—4月，果期7—10月。

果实形态结构
核果；椭球形，两端圆锥状，形似一个秤锤；表面具黄棕色斑纹和褐色皮孔，中上部2/3处具萼檐留下的环状残迹；棕色或褐色；长11.26~33.95mm，宽6.14~15.02mm，厚6.05~14.28mm，重0.1426~0.4394g。外果皮为纸状胶质；褐色；厚0.018~0.022mm。中果皮海绵质；棕色；厚3.50~4.40mm。去除外果皮和中果皮后的果核为纺锤形；中下部具11~13条纵棱；黄棕色；长11.26~33.95mm，宽4.32~6.13mm，厚3.80~5.76mm。内果皮为骨质；黄棕色；厚0.44~0.67mm，成熟后不会开裂；内含种子1~2粒。基部果梗长1~3cm。

传播体类型
果实。

种子贮藏特性
正常型种子。在低温干燥条件下贮藏，有助于延长其寿命。

种子萌发特性
具混合休眠。去除果皮，在25℃±1℃，24h光照条件下，MS培养基上，萌发率为40%。

▶ 果枝

▶ 果实集

种子形态结构

种子：纺锤形；棕色；长9.70~15.87mm，宽1.76~2.84mm，厚1.94~2.54mm。

种脐：椭圆形；黄棕色；位于种子下部一侧。

种皮：胶质；厚0.03~0.04mm；紧贴胚乳。

胚乳：含量中等；乳白色；肉质，富含油脂；厚0.49~0.71mm；包着胚。

胚：窄椭圆形；直或稍弯；乳白色；肉质，含油脂；长4.27~14.78mm，宽1.58~1.84mm，厚0.44~0.62mm；直生于种子中央。子叶2枚；椭圆形，扁平；长7.91~11.04mm，宽1.71~1.84mm，厚0.22~0.33mm；并合。下胚轴和胚根扁圆柱形；长2.56~3.88mm，宽0.44~0.78mm，厚0.29~0.60mm；朝向种子基端。

▶ 果实的背面、腹面、顶部和基部

▶ 果实X光照

1cm

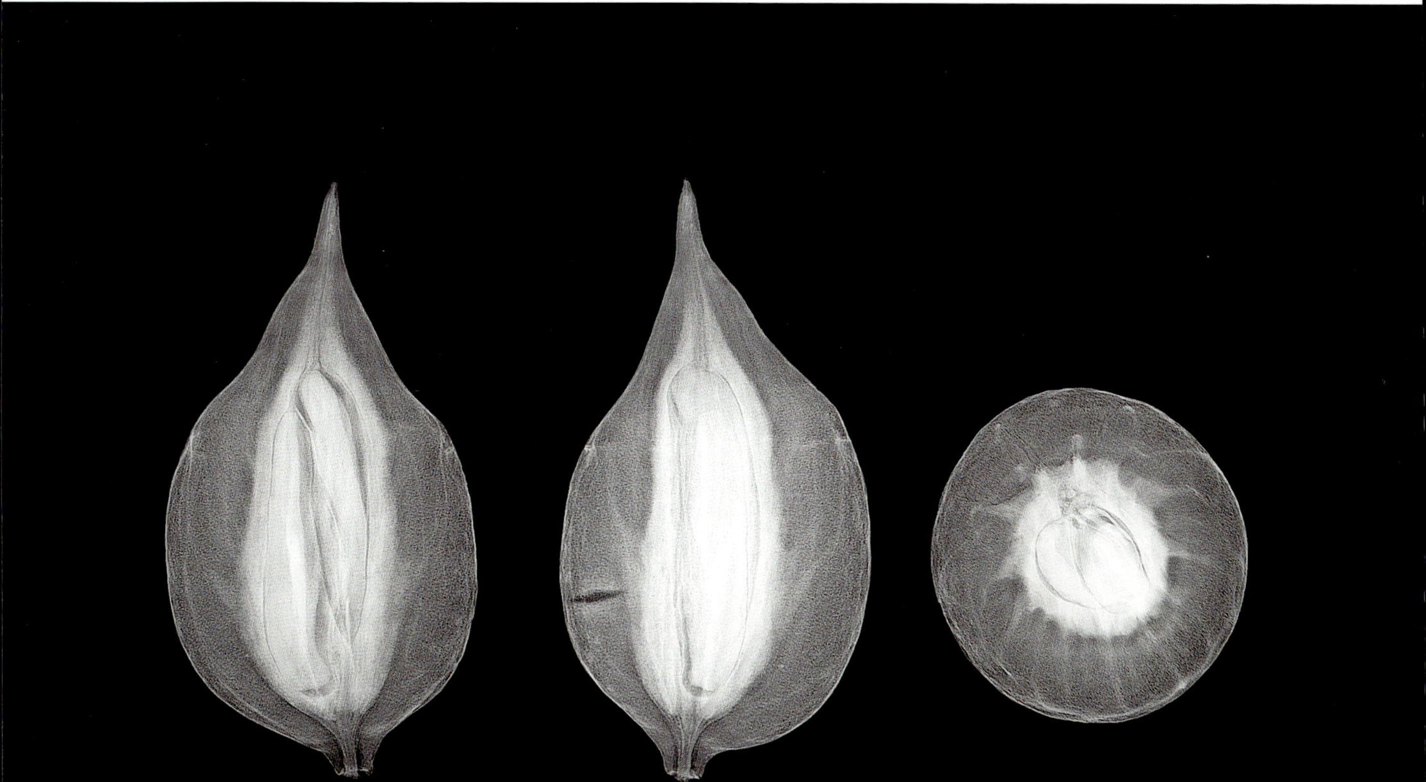

◀ 果实纵切面

◀ 果实横切面

◀ 果核

▶ 种子

2mm

▶ 种子纵切面

2mm

▶ 胚

2mm

茜草科 Rubiaceae

香果树
Emmenopterys henryi Oliv.

保护级别 二级

植株生活型
落叶乔木，高25~30m。

分　布
产于江苏、浙江、安徽、福建、江西、河南、湖北、湖南、广东、广西、重庆、四川、贵州、云南、陕西和甘肃。生于海拔430~1630m的河边疏林和山谷林中。此外，越南、缅甸和泰国也有分布。

经济价值
优良的用材、观赏和固堤树种；树皮可造纸。

科研价值
东亚特有的单种属植物和第三纪孑遗植物，对研究茜草科植物的系统演化，以及古植物区系、古地理和古气候具有重要价值。

濒危原因
第四纪冰期影响；生境破坏严重；过度砍伐；植株数量少且零星分布，种子发芽率低，种群天然更新困难。

▶ 植株

花果期
花期6—8月，果期8—11月。

果实形态结构
蒴果；长倒卵形或椭球形；表面具多条纵棱，两侧各具一沟；幼时绿色，成熟后转为红色，干后变为褐色；长3~5cm，宽0.5~1.5cm。果皮木质；成熟后室间开裂为2个果瓣；内含种子200多粒，为不规则覆瓦状排列。果实基部具一片花瓣状、具柄、扩大、新鲜时为白色而干后为棕色的变态萼裂片，有时无。

传播体类型
种子。

传播方式
风力传播。

种子贮藏特性
正常型种子。在低温干燥条件下贮藏，寿命可达5年以上。

种子萌发特性
具生理休眠。在20℃或25℃/15℃，12h/12h光照条件下，1%琼脂培养基上，萌发率均可达100%。

▶ 果实

▶ 种子集

1cm

种子形态结构

种子：披针形、三角形或四角形；表面具复网纹，四周有翅；中部为棕色或褐色，四周为白色、浅黄色或浅黄棕色；长3.49~13.34mm，宽1.39~4.55mm，厚0.21~0.71mm，重0.00023~0.00076g。

种脐：不明显；近黑色；位于中下部一侧或基端。

种皮：外层为白色、浅黄色或浅黄棕色，膜质，泡沫状；内层为棕色或褐色，厚0.01mm，胶质，紧贴胚乳。

胚乳：含量中等；厚0.09mm；白色；肉质，含油脂；包着胚。

胚：长椭圆形；白色；肉质，含油脂；长1.42~1.64mm，宽0.42~0.80mm，厚0.16~0.24mm；直生于种子中央。子叶2枚；卵形或近圆形，扁平；长0.58~0.80mm，宽0.42~0.84mm，厚0.08~0.12mm；并合或稍交错。下胚轴和胚根扁圆柱形，基部稍尖；长0.71~1.04mm，宽0.38~0.39mm，厚0.18~0.20mm；朝向种子基端。

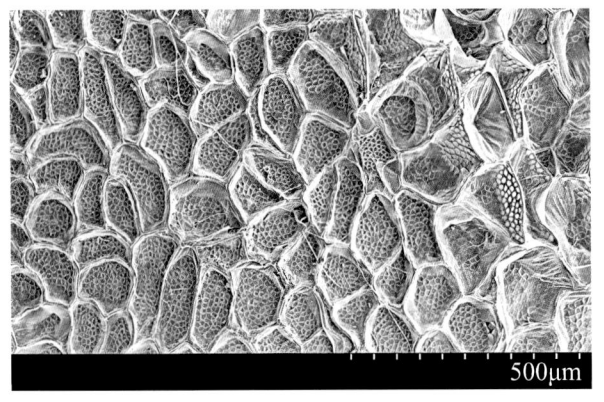

◀ 种子表面 SEM 照

▶ 种子的背面和腹面

▶ 种子 X 光照

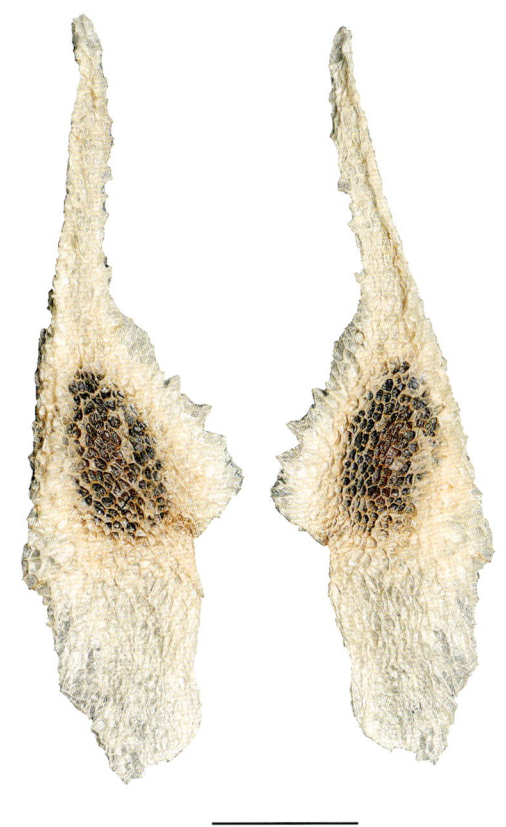

2mm

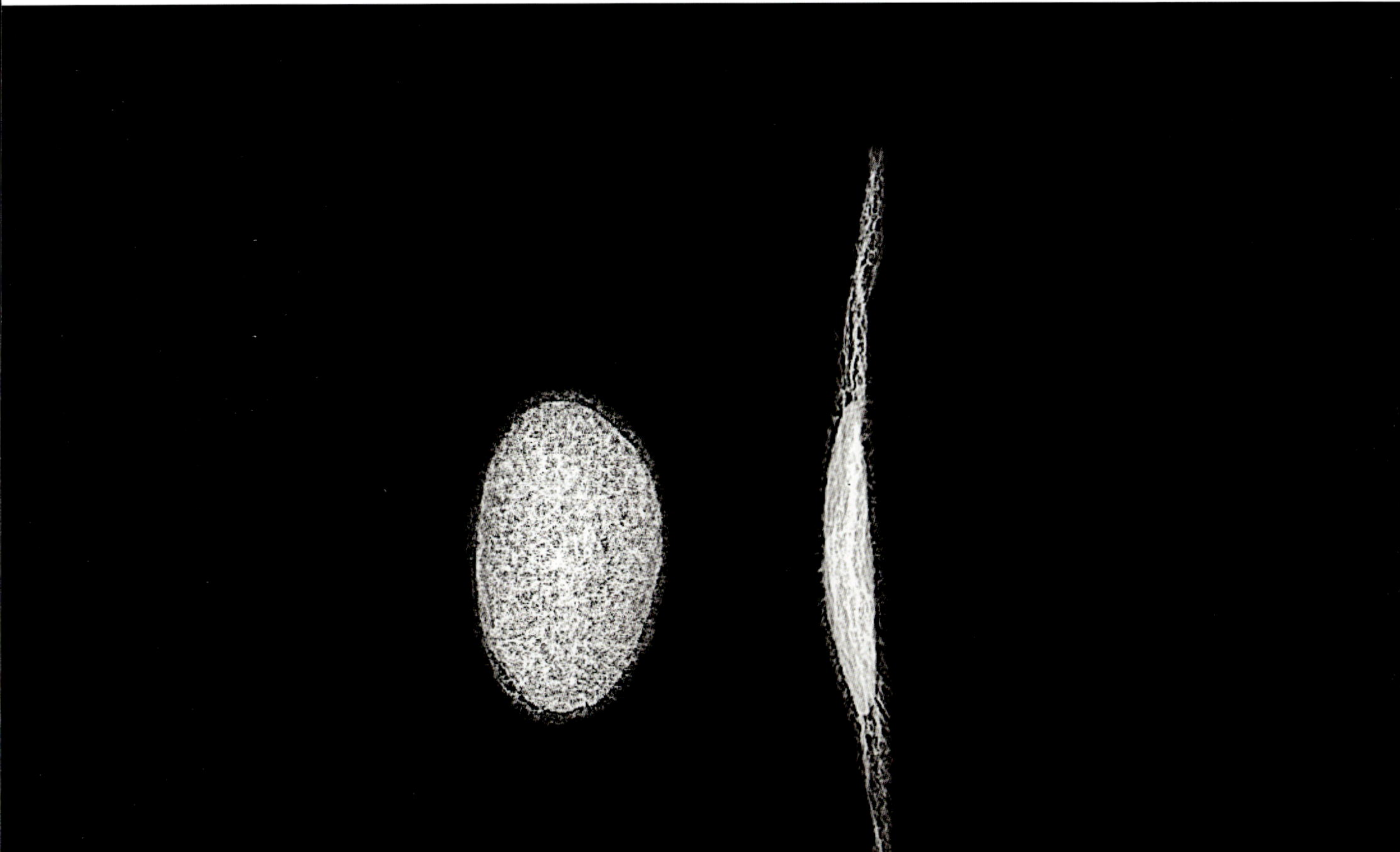

◀ 带内种皮的种子

500μm

◀ 种子横切面

1mm

▶ 种子纵切面

500μm

▶ 胚

500μm

木犀科 Oleaceae

水曲柳
***Fraxinus mandschurica* Rupr.**

植株生活型
落叶大乔木,高达35m。

分　　布
产于辽宁、吉林、黑龙江、内蒙古、河北、河南、陕西、甘肃、山西和湖北。生于海拔700~2100m的山坡疏林或河谷平缓山地。此外,朝鲜半岛、俄罗斯及日本也有分布。

经济价值
我国东北地区三大硬阔树种之一,木材坚硬致密,纹理美观,为工业和民用高级用材;树皮可入药,是传统治疗结核、外伤的药物,也可作驱虫剂。此外,还是优良的绿化和观赏树种。

濒危原因
长期利用;过度砍伐。

附注: 中文科名中的"犀"通"樨"。

▶ 植株

花果期
花期4—6月,果期8—10月。

果实形态结构
翅果;长椭圆形,披针状,稍扭;表面具纵纹,顶部和中上部两侧具狭而扁平的长翅;新鲜时为黄绿色,干后为黄棕色或棕色;长24.24~39.58mm,宽3.07~8.34mm,厚0.96~1.60mm,重0.0196~0.0377g。果皮黄棕色或棕色;草质;厚0.13mm;成熟后不会开裂;内含种子1粒。

传播体类型
果实。

传播方式
风力传播。

种子贮藏特性
正常型种子。在低温干燥条件下贮藏,寿命可达3年以上。

种子萌发特性
具形态生理休眠。在20℃,12h/12h光照条件下,含200mg/L GA_3 的1%琼脂培养基上,萌发率为95%;而在25℃/15℃,12h/12h光照条件下,1%琼脂培养基上,萌发率为90%。

▶ 果序

▶ 果实集

2cm

种子形态结构

种子： 纺锤形，扁平，稍扭转；棕褐色；长8.39~17.30mm，宽2.64~4.44mm，厚0.18~0.24mm。

种皮： 棕褐色；膜质；厚0.04mm。

胚乳： 含量中等；厚0.18mm；乳白色，半透明；蜡质；包着胚。

胚： 匙形；蜡质；长8.50~10.30mm，宽0.80~1.76mm，厚0.20~0.27mm；直生于种子中央。子叶2枚；长椭圆形，扁平；浅黄绿色或乳黄色；长4.00~6.70mm，宽1.30~1.76mm，厚0.10~0.13mm，自中央向两侧渐薄；交错并合。下胚轴和胚根扁圆柱形，基端稍尖；乳白色或乳黄色；长3.40~4.60mm，宽0.60~0.80mm，厚0.24~0.31mm；朝向种子顶端（果翅端）。

▶ 果实的背面和侧面

▶ 果实 X 光照

1cm

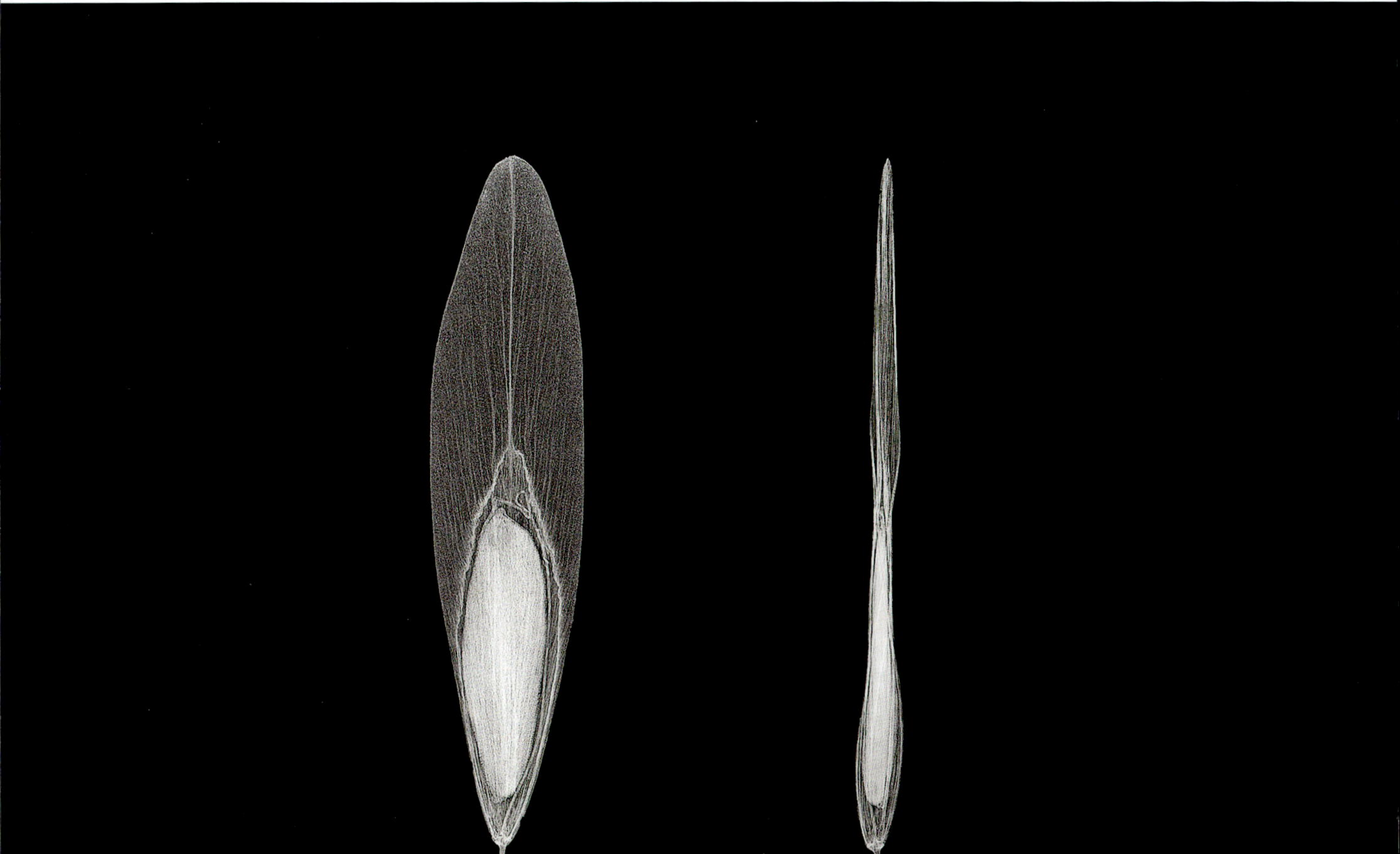

◀ 种子

2mm

◀ 种子横切面

1mm

▶ 种子纵切面

2mm

▶ 胚

2mm

车前科 Plantaginaceae

保护级别 二级

胡黄连

Neopicrorhiza scrophulariiflora (Pennell) D. Y. Hong

植株生活型
多年生草本，高4~12cm。

分　　布
产于四川、云南和西藏。生于3600~4400m的高山草地及石堆中。此外，不丹、尼泊尔和印度也有分布。

经济价值
是一种中药，以干燥根茎入药，有退虚热、除疳热、清湿热功效，能治疗骨蒸潮热、小儿疳热、湿热泻痢、黄疸尿赤、痔疮肿痛之症。

濒危原因
分布区狭窄；生境特殊和破坏严重；过度采挖；种群数量少，植株生长慢，竞争力弱，易受干扰。

▶ 植株

花果期
花期7—8月,果期8—10月。

果实形态结构
蒴果;卵形;侧面具沟,背腹面中央各具一纵细棱,棱两侧各具2~4条棕色纵线纹,基部具披针形宿存萼片;黄棕色;长5.50~10.00mm,宽2.60~4.20mm。果皮黄棕色;泡沫状海绵质;厚0.04~0.07mm。干后两侧沿沟深裂至基部,背腹面沿棱浅裂;内含种子多粒。

传播体类型
种子。

传播方式
风力传播。

种子贮藏特性
正常型种子。在低温干燥条件下贮藏,寿命可得到有效延长。

▶ 果序

▶ 种子集

种子形态结构

种子：半球形；表面具细网纹；黄白色或黄棕色；长1.11~1.60mm，宽0.89~1.34mm，厚0.51~0.93mm。去除外种皮后，种子长0.67~0.96mm，宽0.29~0.47mm，厚0.24~0.44mm。

种脐：条状；黄棕色或褐色；宽0.04~0.07mm；位于基部中央。

种皮：外种皮黄白色或黄棕色；具细网纹；膜质；膨胀成半球状。内种皮棕色；膜状胶质；紧贴胚乳。

胚乳：含量中等；厚0.04~0.07mm；黄棕色；蜡质，含油脂；包着胚。

胚：椭圆形；黄色；蜡质，含油脂；长0.67~0.76mm，宽0.16~0.29mm，厚0.13~0.18mm；位于种子中央。子叶2枚；卵形，扁平；长0.33~0.53mm，宽0.22~0.29mm，厚0.04~0.09mm；并合。下胚轴和胚根倒卵形；长0.22~0.33mm，宽0.20~0.24mm，厚0.13~0.16mm；朝向种子基端。

▶ 种子的背面、腹面和侧面

▶ 种子 X 光照

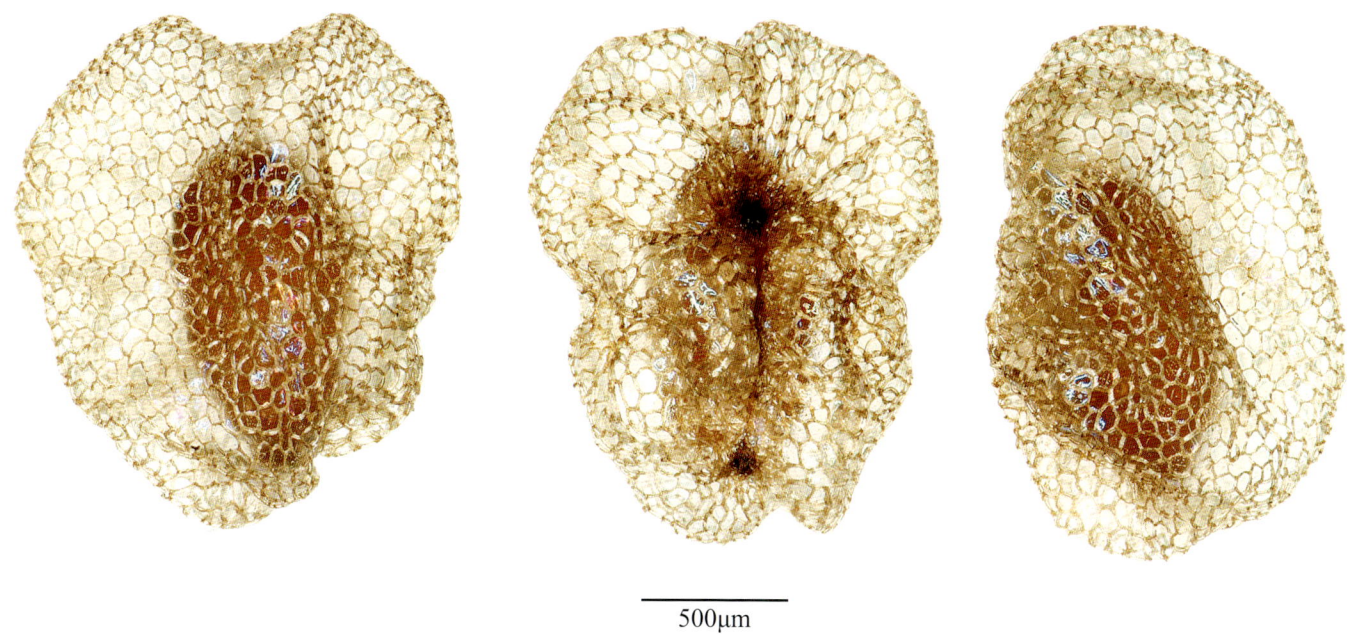

500μm

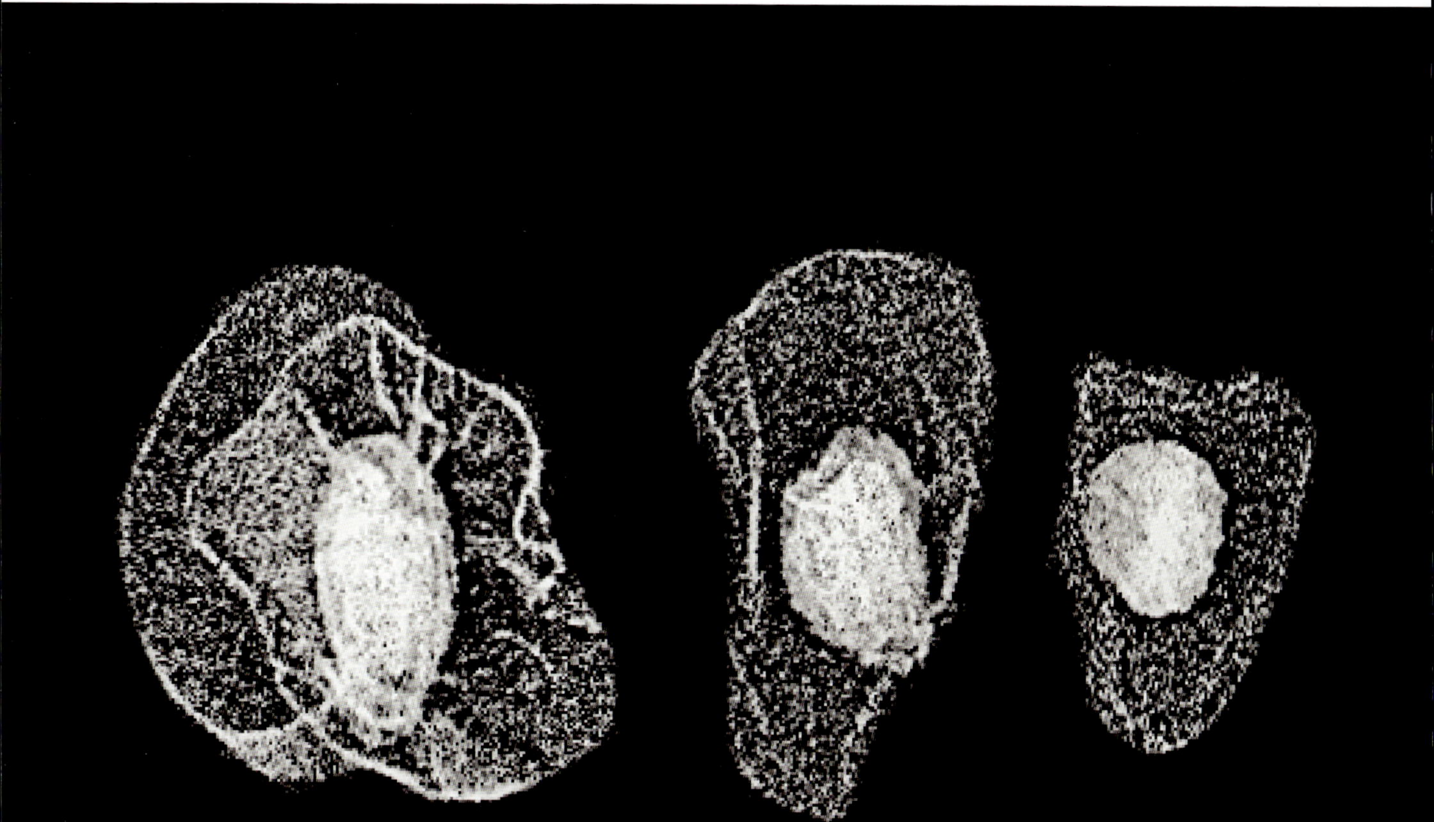

◀ 种子纵切面

400μm

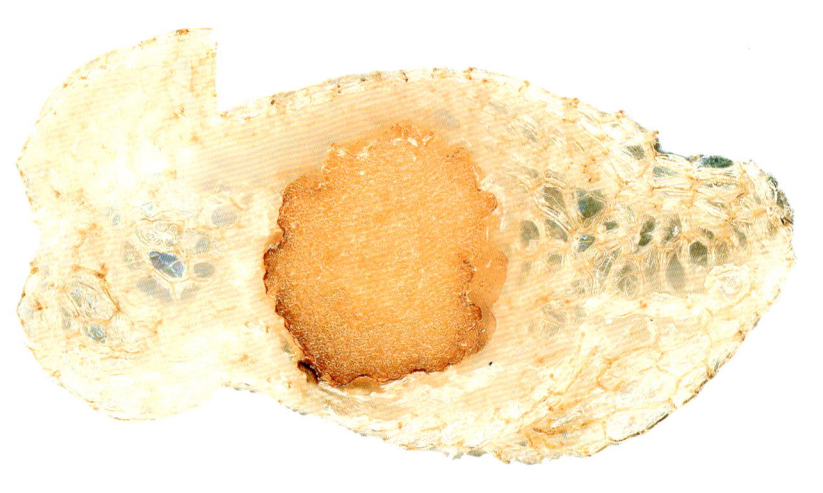

◀ 种子横切面

400μm

▶ 带内种皮的种子

400μm

▶ 幼苗

2cm

伞形科 Apiaceae

珊瑚菜（北沙参）
***Glehnia littoralis* F. Schmidt ex Miq.**

保护级别 二级

植株生活型
多年生草本，高20~70cm。

分　　布
产于辽宁、河北、山东、江苏、浙江、福建、广东、海南和台湾。生于海拔50~100m的海边沙滩或肥沃的沙质土壤中。此外，俄罗斯、朝鲜、日本和越南也有分布。

经济价值
是一种中药，以干燥根入药，有养阴清肺、益胃生津功效，能治疗肺热燥咳、劳嗽痰血、胃阴不足、热病津伤、咽干口渴等症。

濒危原因
生境破坏严重；过度采挖。

▶ 植株

花果期
花果期6—8月。

果实形态结构
双悬果；圆球形或椭球形；黄白色、黄棕色或棕色；表面密被棕色和白色长柔毛，顶端具圆锥状残存花柱基，有时可见2枚枯萎的花柱。成熟后两心皮从合生面分离，形成两分果。分果倒卵形；背部具5条纵棱和4个棱槽，腹面平，具12~16条黄色或棕色线状纵向油管；长5.16~9.32mm，宽5.04~8.26mm，厚1.57~4.58mm，重0.0043~0.0163g。果皮黄白色、黄棕色或棕色；纸质；厚0.31~0.33mm；成熟后不会开裂；内含种子1粒。

传播体类型
分果。

传播方式
风力传播。

种子贮藏特性
正常型种子。在低温干燥条件下贮藏，寿命可达6年以上。

种子萌发特性
具形态生理休眠。在5℃层积91d，然后在20℃，12h/12h光照条件下，萌发率可达100%。

▶ 果序

▶ 分果群

种子形态结构

种子：宽卵形，腹凹背拱；背面具12~16条油管，腹面具2~5条油管，管内具无色或黄色的油；棕褐色或褐色；长4.33~6.10mm，宽1.69~2.76mm，厚0.47~1.10mm。

种脐：椭圆形；黄白色；长0.27~0.40mm，宽0.18~0.44mm；横生于种子基端。

种皮：外种皮棕褐色；纸质；厚0.01~0.02mm。内种皮褐色；厚0.01mm；膜状胶质；紧贴胚乳。

胚乳：含量丰富；白色；胶质，含油脂；厚0.51mm；包着胚。

胚：倒卵形；乳白色或乳黄色；肉质，富含油脂；长0.71~0.76mm，宽0.27~0.47mm，厚0.13~0.17mm；直生于种子近基部。子叶2枚；圆柱形，平凸；长0.18~0.38mm，宽0.27~0.33mm，厚0.07~0.09mm；并合。下胚轴和胚根圆柱形；长0.36~0.56mm，宽0.22~0.31mm，厚0.13~0.18mm；朝向果实顶端。

◀ 分果背面 SEM 照

▶ 分果的顶部、侧面、背面和腹面

▶ 分果 X 光照

4mm

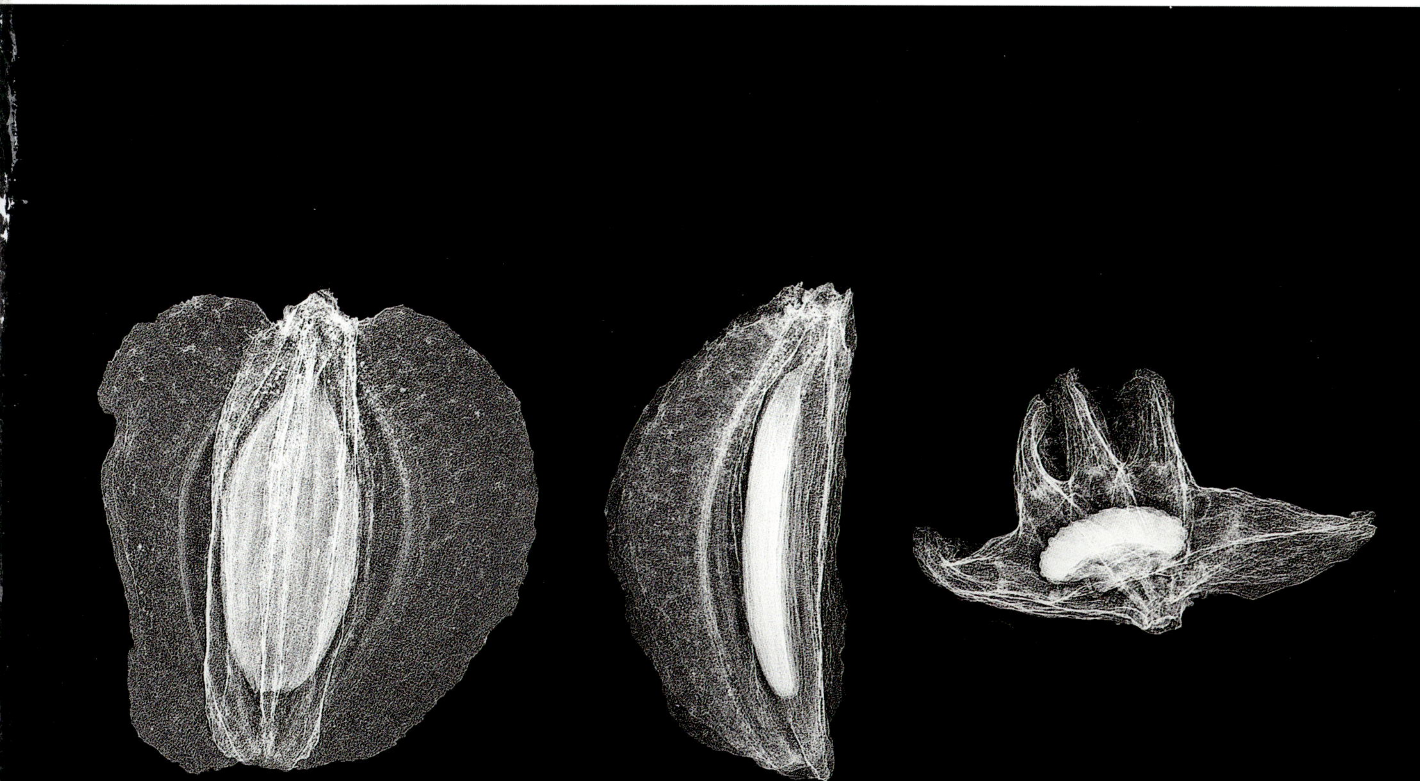

◀ 种子的背面和侧面

1mm

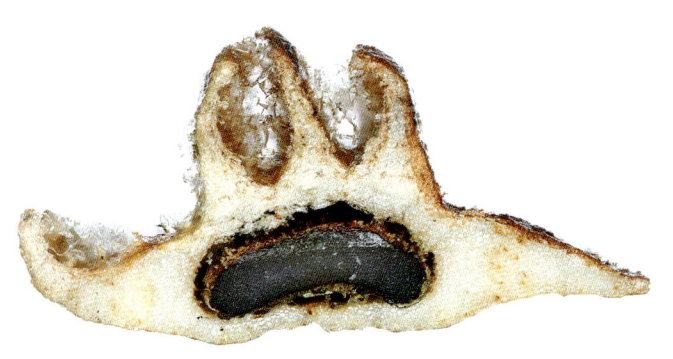

◀ 分果横切面

2mm

▶ 分果纵切面

5mm

▶ 胚

200μm

▶ 萌发中的种子

4mm

参 考 文 献

[1] 国家环境保护局. 珍稀濒危植物保护与研究 [M]. 北京: 中国环境科学出版社, 1991.

[2] 国家林业局国有林场和林木种苗工作总站. 中国木本植物种子 [M]. 2版. 北京: 中国林业出版社, 2003.

[3] 国家林业局野生动植物保护与自然保护区管理司, 中国科学院植物研究所. 中国珍稀濒危植物图鉴 [M]. 北京: 中国林业出版社, 2013.

[4] 国家药典委员会. 中华人民共和国药典: 2015年版 一部 [M]. 北京: 中国医药科技出版社, 2015.

[5] 郭巧生, 王庆亚, 刘丽. 中国药用植物种子原色图鉴 [M]. 北京: 中国农业出版社, 2008.

[6] 任宪威, 朱伟成. 中国林木种实解剖图谱 [M]. 北京: 中国林业出版社, 2007.

[7] 吴征镒, 路安民, 汤彦承, 等. 中国被子植物科属综论 [M]. 北京: 科学出版社, 2003.

[8] 云南省林业厅, 云南省林业科学院, 国家林业局云南珍稀濒特森林植物保护和繁育实验室. 云南国家重点保护野生植物 [M]. 昆明: 云南科技出版社, 2005.

[9] 中国科学院中国植物志编辑委员会. 中国植物志: 第二十一卷 [M]. 北京: 科学出版社, 1979.

[10] 中国科学院中国植物志编辑委员会. 中国植物志: 第二十二卷 [M]. 北京: 科学出版社, 1998.

[11] 中国科学院中国植物志编辑委员会. 中国植物志: 第二十三卷第二分册 [M]. 北京: 科学出版社, 1995.

[12] 中国科学院中国植物志编辑委员会. 中国植物志: 第二十四卷 [M]. 北京: 科学出版社, 1988.

[13] 中国科学院中国植物志编辑委员会. 中国植物志: 第二十五卷第一分册 [M]. 北京: 科学出版社, 1998.

[14] 中国科学院中国植物志编辑委员会. 中国植物志: 第二十六卷 [M]. 北京: 科学出版社, 1996.

[15] 中国科学院中国植物志编辑委员会. 中国植物志: 第二十七卷 [M]. 北京: 科学出版社, 1979.

[16] 中国科学院中国植物志编辑委员会. 中国植物志: 第三十二卷 [M]. 北京: 科学出版社, 1999.

[17] 中国科学院中国植物志编辑委员会. 中国植物志: 第三十四卷第一分册 [M]. 北京: 科学出版社, 1984.

[18] 中国科学院中国植物志编辑委员会. 中国植物志: 第三十五卷第二分册 [M]. 北京: 科学出版社, 1979.

[19] 中国科学院中国植物志编辑委员会. 中国植物志: 第三十九卷 [M]. 北京: 科学出版社, 1988.

[20] 中国科学院中国植物志编辑委员会. 中国植物志: 第四十卷 [M]. 北京: 科学出版社, 1994.

[21] 中国科学院中国植物志编辑委员会. 中国植物志: 第四十三卷第二分册 [M]. 北京: 科学出版社, 1997.

[22] 中国科学院中国植物志编辑委员会. 中国植物志: 第四十三卷第三分册 [M]. 北京: 科学出版社, 1997.

[23] 中国科学院中国植物志编辑委员会. 中国植物志: 第四十四卷第二分册 [M]. 北京: 科学出版社, 1996.

[24] 中国科学院中国植物志编辑委员会. 中国植物志: 第四十五卷第一分册 [M]. 北京: 科学出版社, 1980.

[25] 中国科学院中国植物志编辑委员会. 中国植物志: 第四十六卷 [M]. 北京: 科学出版社, 1981.

[26] 中国科学院中国植物志编辑委员会. 中国植物志: 第四十七卷第一分册 [M]. 北京: 科学出版社, 1985.

[27] 中国科学院中国植物志编辑委员会. 中国植物志: 第四十九卷第二分册 [M]. 北京: 科学出版社, 1984.

[28] 中国科学院中国植物志编辑委员会. 中国植物志: 第五十卷第二分册 [M]. 北京: 科学出版社, 1990.

[29] 中国科学院中国植物志编辑委员会. 中国植物志: 第五十二卷第一分册 [M]. 北京: 科学出版社, 1999.

[30] 中国科学院中国植物志编辑委员会. 中国植物志: 第五十二卷第二分册 [M]. 北京: 科学出版社, 1983.

[31] 中国科学院中国植物志编辑委员会. 中国植物志: 第五十三卷第一分册 [M]. 北京: 科学出版社, 1984.

[32] 中国科学院中国植物志编辑委员会. 中国植物志: 第五十五卷第三分册 [M]. 北京: 科学出版社, 1992.

[33] 中国科学院中国植物志编辑委员会. 中国植物志: 第五十九卷第二分册 [M]. 北京: 科学出版社, 1990.

[34] 中国科学院中国植物志编辑委员会. 中国植物志: 第六十卷第一分册 [M]. 北京: 科学出版社, 1987.

[35] 中国科学院中国植物志编辑委员会. 中国植物志: 第六十卷第二分册 [M]. 北京: 科学出版社, 1987.

[36] 中国科学院中国植物志编辑委员会. 中国植物志: 第六十一卷 [M]. 北京: 科学出版社, 1992.

[37] 中国科学院中国植物志编辑委员会. 中国植物志: 第七十一卷第一分册 [M]. 北京: 科学出版社, 1999.

[38] 中国科学院植物研究所. 中国高等植物图鉴 [M]. 8版. 北京: 科学出版社, 2011.

[39] CAROL C B, JERRY M B. Seeds Ecology, Biogeography, and Evolution of Dormancy and Germination [M]. 2nd ed. San Diego, CA: Elsevier, 2014.

[40] HOWE H H. Seed dispersal in fruit eating birds and mammals. In: Seed Dispersal [M]. Australia: Academic Press, 1986.

[41] KAREN VAN RHEEDE VAN OUDTSHOORN, MARGARETHA W, VAN ROOYEN. Dispersal Biology of Desert Plants [M]. Berlin: Springer-Verlag, 1999.

[42] KOZLOWSKI T T. Seed Biology. Volume 1: Importance, Development and Germination [M]. London: Academic Press, 1972.

[43] LEENDERT VAN DER PIJL. Principles of Dispersal in Higher Plants [M]. 3rd Edn. New York: Springer-Verlag, 1982.

[44] MARTIN A C, BARKLEY W D. Seed Identification Manual [M]. Berkley and Los Angeles: University of California Press, 1961.

[45] MICHAEL B, BEWLEY J D, PETER H. The Encyclopedia of Seeds Science, Technology and Uses [M]. London, UK: Cromwell press, 2008.

[46] RIDLEY H N. The Dispersal of Plants Throughout the World [M]. London: William Clowes and Sons Ltd, 1930.

[47] ROB K, WOLFGANG S. Seeds: Time Capsules of Life [M]. UK: Papadakis, 2009.

[48] WU Z Y, R SHEHBAZ IAA, BARTHOLOMEW B. Flora of China [M]. Beijing: Science Press, 1994.

[49] 陈虹颖, 孙卫邦, 李唯奇. 珍稀濒危植物三棱栎种子的储藏特性鉴定 [J]. 植物分类与资源学报, 2011, 33 (5): 540-546.

[50] 杜大至, 李荣儿, 原福虎, 等. 翅果油树种子的休眠和萌发生理 [J]. 植物生理学通报, 1989 (6): 36-38.

[51] 贺立静, 贺立红, 谢正生. 光照对土沉香种子萌发和幼苗生长的影响 [J]. 广东农业科学, 2011, 38 (8): 32-34.

[52] 黄开响, 赖家业, 石海明, 等. 我国特有单种属植物蒜头果的保护与利用研究状况 [J]. 广西农业生物科学, 2008, 27 (6): 76-80.

[53] 康华靖, 陶月良, 陈子林, 等. 伯乐树种子不同条件贮藏下前后生理比较 [J]. 中国野生植物资源, 2011, 30 (1): 35-39.

[54] 雷汀菲, 苏智先, 陈劲松, 等. 珍稀濒危植物珙桐果实中的萌发抑制物质 [J]. 应用与环境生物学报, 2003, 9 (6): 607-610.

[55] 李文良, 张小平, 郝朝运, 等. 珍稀植物连香树（Cercidiphyllum japonicum）的种子萌发特性 [J]. 生态学报, 2008, 28 (11): 5445-5453.

[56] 李艳芳, 刘琰璐, 张昭, 等. 引发剂对黄檗种子休眠解除作用的研究 [J]. 中国农学通报, 2014, 30 (22): 209-216.

[57] 李樱花, 郭松, 李在留, 等. 掌叶木种皮障碍及种子各部位内源抑制活性的研究 [J]. 广西植物, 2016, 36 (40): 443-448.

[58] 鲁长虎. 蚁对植物种子的传播作用 [J]. 生态学杂志, 2002, 21 (2): 64-66.

[59] 卢艳, 闫月, 崔程程, 等. 初生休眠解除状态和干燥处理对水曲柳种子萌发的影响 [J]. 植物研究, 2020, 40 (4): 490-495.

[60] 马文宝, 许戈, 姬慧娟, 等. 珍稀植物梓叶槭种子萌发特性初步研究 [J]. 种子, 2014, 33 (12): 87-90.

［61］ 欧阳志勤, 苏文华, 张光飞. 稀有植物云南金钱槭种子萌发特性的研究［J］. 云南植物研究, 2006, 28（5）：509-514.

［62］ 潘健, 郭起荣, 方乐金, 等. 濒危植物永瓣藤种子休眠与解除［J］. 种子, 2012, 31（3）：17-22.

［63］ 乔琦, 陈红锋, 邢福武. 中国特有珍稀植物伯乐树种子的类型和贮藏［J］. 种子, 2009, 28（12）：25-27.

［64］ 史晓华, 黎念林, 金玲, 等. 秤锤树种子休眠与萌发的初步研究［J］. 浙江林学院学报, 1999, 16（3）：228-233.

［65］ 史晓华, 徐本美, 黎念林, 等. 长柄双花木种子休眠与萌发的初步研究［J］. 种子, 2002（6）：5-7.

［66］ 杨立学, 王海南, 范晶, 等. 解除紫椴种子休眠技术的研究［J］. 北京林业大学学报, 2011, 33（6）：130-134.

［67］ 曾丹娟, 焦继飞, 王静, 等. 东京桐种子萌发的生理生态学研究［J］. 种子, 2012, 31（10）：1-4.

［68］ 翟静娟, 王小花, 李双双, 等. 影响翅果油树种子萌发及幼苗生长的几种因素的比较研究［J］. 植物研究, 2008, 28（6）：757-759.

［69］ 张国革, 赖家业, 潘春柳, 等. 蒜头果种子育苗试验初报［J］. 广西农业生物科学, 2008, 27（6）：8-11.

［70］ 张丽, 张露. 毛红椿种子萌发影响因素初探［J］. 林业科技开发, 2011, 25（6）：54-56.

［71］ APG Ⅳ. An update of the Angiosperm Phylogeny Group classification for the orders and families of flowering plants: APG Ⅳ［J］. Botanical Journal of the Linnean Society, 2016, 181(1): 1-20.

［72］ CORLETT R T. Characteristics of vertebrate-dispersed fruits in Hong Kong［J］. Journal of Tropical Ecology, 1996, 12: 819-833.

［73］ DEBUSSCHE M, ISENMANN P. Bird-Dispersed Seed Rain and Seedling Establishment in Patchy Mediterranean Vegetation［J］. Oikos, 1994, 69(3): 414-426.

［74］ ERIKSSON O, EHRLÉN J. Phenological variation in fruit characteristics in vertebrate-dispersed plants［J］. Oecologica, 1991, 86: 463-470.

［75］ MARTIN A C. The comparative internal morphology of seed［J］. American Midland Naturalist, 1946, 36(3): 530-646.

［76］ MATLACK G R. Diaspore size, shape, and fall behavior in wind-dispersed plant species［J］. American Journal of Botany, 1987, 74: 1150-1160.

［77］ Systematics Association Committee for Descriptive Terminology Ⅱ. Terminology of simple symmetrical plane shapes［J］. Taxon, 1962, 11: 145-156, 245-247.

［78］ 国家林业和草原局,农业农村部.国家重点保护野生植物名录[EB/OL].[2021-09-08].http://www.forestry.gov.cn/main/3954/20210908/163949170374051.html.

术 语 解 释

本书涉及植物分类学、种子形态解剖学、种子生理学等多个学科，其中包含了大量的专业术语。为帮助读者较好地理解其中的内容，并顺畅地进行阅读，故将文中的专业术语解释集中放于此附录中。

■ 植物分类

裸子植物：是种子植物的两个分支之一，为较原始的一类；多为乔木，少数为灌木或藤本；其具有颈卵器，既属颈卵器植物，又属能产生种子的种子植物，它们的胚珠外面没有子房壁包被，不形成果皮，种子裸露，生于大孢子叶边缘或叶面（在松柏类植物中为珠鳞）。

被子植物：是种子植物的两个分支之一，为较进化的一类；其胚珠包于心皮内，具有独特的双受精现象；根据胚中子叶数量，可分为单子叶植物和双子叶植物两类。

双子叶植物：是被子植物的两大类群之一。主要特征为胚具有2枚子叶；其他识别特征为具网状叶脉，花基数通常为4或5，维管束呈筒状排列，主根由胚根发育而来，并且常有次生增粗现象。

单子叶植物：是被子植物的两大类群之一。主要区别特征为胚仅具有1枚子叶；其他识别特征为具平行叶脉，花基数为3，维管束散生，初生根出现后很快就被侧生根代替，缺乏次生结构。

■ 传播体及传播方式

传播体：是植物进行种子传播的最小单位，可能是种子，也可能是果实或聚合果中的分果，甚至可能是整个植株或幼苗。

动物传播：以动物作为传播媒介，进行果实和种子的散布，又可分为动物体内传播和体外传播两种方式。

动物体外传播：通过在果实和种子表面形成钩、刺或黏液等，附着在动物体表进行传播的方式。

动物体内传播：通过在果实和种子表面产生肉质可食组织吸引动物前来取食，进而在动物肠道内留存一段时间，然后随其粪便排出体外，随动物的移动而进行传播的方式。

风力传播： 以风作为传播媒介，进行果实和种子的散布方式。这类传播体常具有较轻的果皮或种皮，同时表面还具有翅膀、羽毛、绒毛或气囊。

鸟类传播： 由鸟类来完成果实或种子的传播方式。

水力传播： 以水作为传播媒介，进行果实和种子的散布方式，又分为水流（径流、溪流和洋流）传播和雨水（或露水）传播。

自体传播： 不依靠其他传播媒介，仅靠自己实现果实和种子的传播方式，包括弹射、钻地等方式，其传播距离通常较短。

■ 果实结构及分类

果实： 被子植物特有的繁殖器官，是被子植物的雌蕊经过传粉受精，由子房或与其相连的花中其他部分（如花梗、花托、花萼、花柱和柱头等）参与发育而成的器官，由果皮和种子两个部分构成。

果皮： 由子房壁发育而成，既有贮藏营养的功能，又有保护其内的种子、帮助种子散布的作用，可分为外果皮、中果皮和内果皮。

外果皮： 果皮的外层，大多为革质。

中果皮： 果皮中间肉质的那层。

内果皮： 果皮的最内层，在核果中为坚硬而起主要保护作用的那层。

果疤： 果实从果柄上脱落后，在果皮表面留下的疤痕。

翅果： 由1个或2个心皮形成的坚果或瘦果，其果皮干燥，一端或周边具翅，内含种子1粒，靠风进行传播。

柑果： 是芸香科柑橘属植物特有的果实类型，由多心皮具中轴胎座的上位子房发育而成的肉质果实。其外果皮革质，内含许多油腔；中果皮疏松，呈海绵状；内果皮膜质，将果实分隔成多个囊瓣，其内密生膨大多汁的汁囊，包围着种子。

蓇葖果：一种开裂干果，由单心皮或离生心皮发育而成的沿背缝线或腹缝线一侧开裂的果实，每室含种子1粒至多粒。

核果：由单心皮或合生心皮发育而成的一种不开裂肉质果实。通常其外果皮较薄，中果皮肉质或纤维化，内果皮木质化而坚硬，形成坚硬的果核，每核内含种子1粒，或具有数室，每室含种子1粒。

荚果：是豆科植物特有的果实类型，由单心皮的上位子房发育而成，成熟后沿腹缝线和背缝线开裂，果皮裂成2片；少数不裂，或在种子间呈节断裂，每节含种子1粒。

坚果：由合生心皮的下位子房形成的不开裂干果，内常含种子1粒。

浆果：由一至多室的复子房形成，果肉柔软、肉质而多汁，内含种子多粒。

瘦果：一种小型、不开裂果实；果皮干燥，且与种皮相连，但二者可分离；通常内含种子1粒。

双悬果：是伞形科植物特有的果实类型。由2个合生心皮的下位子房发育而成的不裂干果，其果实成熟后心皮分离成2个分果，双双悬挂于心皮柄上端，心皮柄的基部与果梗相连，每个分果内各含种子1粒。

蒴果：由合生心皮的雌蕊群发育而成，子房一室或多室，每室有多粒种子，成熟后开裂。可分为纵裂、孔裂和周裂3种开裂方式。

颖果：是禾本科植物特有的果实类型，其果皮薄而不裂，且与种皮合生，难以分离，内含种子1粒。

分果：由雌蕊群发育而成，在授粉期其心皮部分或完全结合，待果实成熟后则彼此分离，形成多个分果，分果干而不裂，分别执行种子的繁殖和传播功能。

聚合果：由一朵花内多枚离生心皮形成的果实，其每一枚离生心皮形成一个小单果，许多小单果聚生于同一花托或花萼上。

聚花果：也称复果，是由完整的一个花序形成的复合果实，花序中的每朵花都独立形成一个小果，紧密聚集于花序轴上，整个外形就似一个果实，成熟后从母株上整体脱落。

■ 果实和种子表面附属物

冠毛：果实和种子顶端的毛、芒或鳞片，可能由萼片特化形成，常为适应风力传播。

假种皮：起源于珠柄、珠托或胎座，全部或部分覆盖种子表面、可食用的种子附属物，目的是吸引动物前来传播种子。

油脂体：种子外部呈团状、肉质可食用的组织，常存在于靠蚂蚁进行传播的种子上。

■ 种子及结构

种子：是种子植物（裸子植物和被子植物）特有的繁殖器官，也是其传播器官，它由胚珠经过受精形成，通常由种皮、胚和胚乳3个部分构成，少数种类缺失胚乳或具有外胚乳。

种皮：由珠被发育而来，既可保护种子免受物理伤害，防止病虫害侵入，还能防止胚过度脱水，在种子发芽时也起着吸收水分的作用，可分为外种皮、中种皮和内种皮。

外种皮：种皮之最外层，由外珠被发育而成。

中种皮：存在于外种皮和内种皮之间，多为较厚的石细胞层。

内种皮：种皮之最内层，多为膜质。

种脐：种子成熟后，与珠柄或胎座分离，在种皮上留下的疤痕，是重要的种子分类特征。

胚乳：种子内的营养贮存组织，可为将来胚的发育及种子发芽提供所需养分。分为初生胚乳和次生胚乳两种，前者是指裸子植物种子中直接由雌配子体中的单倍体组织发育而成的营养贮存组织，后者是指被子植物种子中由1个精子和2个极核受精形成的三倍体营养贮存组织。

外胚乳：被子植物种子中，由珠心发育而成的二倍体营养贮存组织，富含淀粉，功能与胚乳相同。

糊粉层：位于禾谷类颖果胚乳外面、含有糊粉粒的细胞层。

胚：种子内由受精卵发育而来的新生二倍体孢子体，其中发育完全的胚包括胚芽、胚轴、子叶和胚根4个部分。

多胚现象： 在一个胚珠中出现两个或两个以上的胚的现象，这可能由一个胚珠内的多个颈卵器受精形成多个受精卵所致，或由一个受精卵形成的原胚分裂形成多个胚，也可能由珠心细胞直接发育成不定胚。

胚芽： 是胚的组成部分之一，为未发育的幼枝，位于胚轴的顶端，将来会发育成植物的茎和叶。

胚轴： 是胚的组成部分之一，为连接胚芽、子叶与胚根的轴体。待种子萌发后，其发育成连接茎和根的部分，由子叶到第一枚真叶之间的部分，称为"上胚轴"；而子叶与根之间的部分，称为"下胚轴"。

子叶： 是胚的组成部分之一，为胚的幼叶，在被子植物胚中常为1~2枚，在裸子植物中则为2枚至多枚；功能是使胚乳中贮存的养料用于胚和幼苗的发育，有时也可充当营养贮存器官或光合作用器官。

胚根： 位于下胚轴基部，靠近发芽孔。当种子萌发时，其通常是首先突破种皮的部分，发育成幼苗的初生根。

■ 种皮质地分类

革质： 质地如皮革。

骨质： 质地坚硬而细致，不易切削，屑片脆。

角质： 质地坚硬而致密，容易切削，屑片不脆。

膜质： 薄而柔软，有韧性，且呈半透明的薄膜状。

肉质： 质地柔软、肥厚多汁。

纸质： 质地如纸。

■ 种子贮藏特性分类

正常型种子： 是指可以耐受较低含水量（< 7%）而活力不受影响，寿命随着含水量的降低而延长，可以在干燥低温条件下长期储藏的种子。

顽拗型种子：指脱水至含水量20%～30%即死亡，且对低温敏感的种子。

中间型种子：是一种介于正常型和顽拗型种子之间的种子，其可以耐受10%～12%的含水量，但继续脱水将会降低种子活力，在低温低含水量情况下活力下降更快，且种子对-20℃的储藏温度敏感。

■ 种子休眠及分类

种子休眠：是指即使在适宜萌发的条件下，成熟种子也不能立即萌发的生理特性，这是植物在长期进化过程中获得的一种环境适应特性。它不仅为种子的传播扩散争取了时间，还能使种子在最理想的环境条件下萌发，并有效调节种子萌发的时空分布，减少同一物种不同个体之间的竞争，从而保证物种的顺利繁衍，具有重要的生态学意义。

物理休眠：指种子散布时，胚虽然已经发育完全，但由于果皮或种皮存在不透水、不透气性或物理束缚作用而导致种子即使在适宜环境条件下也无法正常发芽的休眠方式。

生理休眠：是最普遍的一种种子休眠类型，指在种子散布时，胚虽然已经发育完全，但由于胚自身存在生理障碍而导致种子即使在适宜环境条件下也无法正常发芽的休眠方式。

形态休眠：指在种子散布时，胚未分化，或虽然已分化但未发育完全，从而导致种子即使在适宜环境条件下也无法正常发芽的休眠方式。

形态生理休眠：同时具有形态与生理双重休眠的类型，即在种子散布时，胚未分化，或虽然已分化但未发育完全，同时胚内存在抑制种子萌发的生理因子，从而导致种子即使在适宜环境条件下也无法正常发芽的休眠方式。

混合休眠：同时具有物理与生理双重休眠的类型，即种子散布时，胚虽然已经发育完全，但由于具有不透水、不透气或物理束缚作用的果皮或种皮，且胚内同时存在着抑制种子萌发的生理因子，从而导致种子即使在适宜环境条件下也无法正常发芽的休眠方式。

■ 切面分类

横切面：在果实或种子长轴中部，并与长轴垂直的切面。

纵切面：沿果实或种子长轴的切面。

中 文 名 索 引

B

瓣鳞花……………………412
伯乐树（钟萼木）………396

C

长柄双花木………………28
秤锤树……………………464
翅果油树…………………148
川黄檗……………………300

D

丹霞梧桐…………………324
滇桐………………………316
东京龙脑香………………380
东京桐……………………216

F

肥荚红豆…………………92

G

格木………………………68
珙桐………………………440
古林箐秋海棠……………194
光核桃……………………140
光叶苎麻…………………156

H

黑黄檀……………………52
红椿………………………308
红豆树……………………108
红河橙……………………282
红花绿绒蒿………………2

胡黄连……………………488
花榈木……………………100
黄檗………………………292
喙核桃……………………172

J

降香………………………60
金荞麦……………………420
金铁锁……………………430
景东翅子树………………348

L

连香树……………………44
莲…………………………10
林生杧果…………………232

M

勐仑翅子树………………356

P

平当树……………………340
坡垒………………………388
普陀鹅耳枥………………180

Q

千果榄仁…………………224

R

绒毛皂荚…………………76

S

三棱栎……………………164
伞花木……………………266

珊瑚菜（北沙参）………496
水青树……………………20
水曲柳……………………480
四数木……………………186
蒜头果……………………404

T

土沉香……………………372

X

膝柄木……………………208
香果树……………………472

Y

雅砻江冬麻豆……………124
漾濞槭……………………248
野大豆……………………84
银缕梅……………………36
永瓣藤……………………200
油楠………………………132
羽叶点地梅………………456
缘毛红豆…………………116
云南金钱槭………………256
云南梧桐…………………332

Z

掌叶木……………………274
梓叶槭……………………240
紫椴………………………364
紫荆木……………………448

拉丁名索引

A

Acer amplum subsp. *catalpifolium* ……240
Acer yangbiense ……248
Annamocarya sinensis ……172
Aquilaria sinensis ……372

B

Begonia gulinqingensis ……194
Bhesa robusta ……208
Boehmeria leiophylla ……156
Bretschneidera sinensis ……396

C

Carpinus putoensis ……180
Cercidiphyllum japonicum ……44
Citrus hongheensis ……282
Craigia yunnanensis ……316

D

Dalbergia cultrata ……52
Dalbergia odorifera ……60
Davidia involucrata ……440
Deutzianthus tonkinensis ……216
Dipterocarpus retusus ……380
Dipteronia dyeriana ……256
Disanthus cercidifolius subsp. *longipes* ……28

E

Elaeagnus mollis ……148
Emmenopterys henryi ……472
Erythrophleum fordii ……68
Eurycorymbus cavaleriei ……266

F

Fagopyrum dibotrys ……420
Firmiana danxiaensis ……324
Firmiana major ……332
Formanodendron doichangensis ……164
Frankenia pulverulenta ……412
Fraxinus mandschurica ……480

G

Gleditsia japonica var. *velutina* ……76
Glehnia littoralis ……496
Glycine soja ……84

H

Handeliodendron bodinieri ……274
Hopea hainanensis ……388

M

Madhuca pasquieri ……448
Malania oleifera ……404
Mangifera sylvatica ……232
Meconopsis punicea ……2
Monimopetalum chinense ……200

N

Nelumbo nucifera ……10
Neopicrorhiza scrophulariiflora ……488

O

Ormosia fordiana ······92
Ormosia henryi ······100
Ormosia hosiei ······108
Ormosia howii ······116

P

Paradombeya sinensis ······340
Parrotia subaequalis ······36
Phellodendron amurense ······292
Phellodendron chinense ······300
Pomatosace filicula ······456
Prunus mira ······140
Psammosilene tunicoides ······430

Pterospermum kingtungense ······348
Pterospermum menglunense ······356

S

Salweenia bouffordiana ······124
Sindora glabra ······132
Sinojackia xylocarpa ······464

T

Terminalia myriocarpa ······224
Tetracentron sinense ······20
Tetrameles nudiflora ······186
Tilia amurensis ······364
Toona ciliata ······308